まえがき――ナンバー2がダメな会社に未来はない

初《しょ》っ端《ぱな》から、あまり愉快な話でなくて申しわけありませんが、毎日毎日、多くの会社が倒産しています。

会社が倒産する直接的な原因はさまざまです。放漫経営や連鎖倒産、過剰投資、戦略的な誤算、時代への適応性を欠いた体質、生産性などの問題点を改善できない危機意識の乏しさ、そして社長の勉強不足などなど。

じつにいろいろな原因で会社は潰れます。

会社が潰れる理由はじつにさまざまですが、「潰れそうな会社」や「伸びない企業」をよくよく観察してみると、ある共通点があるのに気づきます。

その共通点とは――〝トップの無能〟ではありません。

ありすぎる能力を持ちながら、自分の才能を過信して会社を潰すトップはたくさんいます。しかし、そうかと思うとトップに経営センスがなくても、ナンバー2に支えられて大いに発展している、そんな企業も少なくないのです。

「潰れる会社」「伸び悩む会社」に共通する特徴。それはこれです。
・優秀なナンバー2がいない
「西田塾」などで会社経営をアドバイスするようになって30年以上になりますが、その間、世の中にある多種多様な企業を観察してきました。その結果、会社経営の根本原則とも言うべき、重大な経験則がはっきりわかってきたのです。

その経験則とはこうです。

「優秀なナンバー1がいるのに潰れた会社はゴマンとあるが、優秀なナンバー2がいる会社で潰れたところはほとんどない」

逆に言えば、優秀なナンバー2のいる会社は必ず伸びています。
・ナンバー2が優秀だと、なぜ会社は伸びるのか?
・優秀なナンバー2がいない企業は、どうして発展しないのか?
これが本書の第一のテーマです。

企業だけに限りません。職場のチーム、スポーツのチームにも言えることです。

つまり目指すべき目標や理念を掲げ、その先頭に立って突き進むのは、むろんトップであり、その力量は何より重要です。しかし実際に集団を引っ張るのはナンバー2であり、トップの力量を生かすも殺すもナンバー2次第なのです。

集団・組織は、ナンバー2で決まります。

皆さんはここで、当然次のような問いに直面するし、直面しなければなりません。

「自分の会社には、優秀なナンバー2がいるだろうか？」

「うちのナンバー2は優秀だろうか？」

それを正しく検証するには、次のことを十分に知っておく必要があります。
・どういうナンバー2が、本当に優秀なナンバー2なのか？
・ナンバー2の優秀さ、ナンバー2の役割とは何なのか？
もし皆さんが会社やチームの責任者であれば、「優秀でないナンバー2は切ったほうがよいのか」というシビアな問題にぶつかる人もいるでしょう。

それはまた、こういう問題でもあるはずです。
・どんな人間をナンバー2にしたらよいのか？
これは会社にとっても、チームにとっても最重要のマネジメントです。

もしかすると皆さん自身がナンバー2の立場にあるかもしれません。これからナンバー2として腕を磨いていこう、会社に貢献したいと思っている人もいるでしょう。そうであれば、当然、次のようなテーマに大きな関心を持っていると思います。

・どうしたら優秀なナンバー2になれるのか？

・本当に優秀なナンバー2になるには何が必要なのか？

本書では、これらの問題にもしっかり答えていこうと思います。

なぜなら、ナンバー2がダメな会社に未来はないからです。とくに発展途上の企業の場合は、ナンバー2で決まってしまう部分が非常に大きいのです。また、そうでなければ大きく発展しないのが会社という組織です。

私はこれまで主として「ナンバー1」を語ってきました。今も講演やセミナーではナンバー1の生き方や、ナンバー1の目標実現についてお話ししています。

私の初めての著書もタイトルは、そのまんま『№1理論』でした。「業界一」「日本一」「世界一」――大きな夢を持ち、そこに近づいていくにはどうしたらよいか。その方法を脳と心の法則に基づいて説いたのが『№1理論』です。その理論によって経営者やビジネスマン、アスリートたちを長年指導してきました。

たとえば、北海道に駒大苫小牧という高校があります。高校野球のファンならご存じでしょうが、楽天のマーくんこと、田中将大投手の母校であり、2004年と2005年には夏の甲子園2連覇を達成した高校です。

その駒大苫小牧の甲子園優勝の瞬間、歓喜してマウンドに駆け寄るナインがみんな、空に向かって人差し指を突き上げていたのをご記憶の人も多いと思います。

今では高校野球をはじめとして、あらゆる種類のスポーツ選手が、いろいろな場所であのポーズをマネしていますが、人差し指を突き出したあの「ナンバー1」ポーズこそ、かつて駒大苫小牧という弱小野球部に指導に入った私どもが、選手と一緒に考えた、〝ナンバー1に向かってチームが一丸となるため〟のボディアクションだったのです。

№1理論は、自分（たち）の夢を実現するための理論です。

そこでは「できるだけ大きな夢を持て」「どうせ目指すなら、ナンバー2でもナンバー3でもなく、ナンバー1を目指せ」と教えています。夢が大きいほど人のモチベーションは強くなり、それを実現しようとするエネルギーも大きくなるからです。

実際、オリンピックでも金メダルと銀メダルのあいだにはとてつもない距離があります。たとえば、これも私どもが指導した北京五輪女子ソフトボールチームの戦績が、もし優勝でなく、アメリカに次ぐ第2位であったらどうだったでしょうか。

ナンバー1とナンバー2。たった一つの違いですが、日本人の心を強く揺さぶった、あの大きな感動は巻き起こせなかったでしょう。

ですからナンバー2ではダメだ、ナンバー1を目指せと言ってきました。

しかし、会社経営に関しては事情が違います。

会社経営では、むしろナンバー2が成功のカギを握っています。

言い換えれば、この本は「個人の夢」を実現する方法ではなく、会社やチームという「みんなの夢」を実現する方法を述べたものです。

次のような人たちに、この本を読んでいただきたいと思います。

・経営者、中間管理職、職場のチームリーダー
・スポーツチームの監督やコーチ、キャプテン
・さまざまな社会活動のリーダー

また、

・これから会社や職場のナンバー2になろうと望んでいる人
・会社やチームを発展させたい、もっと盛り立てていきたいと願う人

・働くことにやりがいを見出せない人や、イヤイヤ働いている人、今の仕事に本気で取り組めず、どこかに面白い仕事はないかと考えている人

とくに最後の人たちには、ぜひとも読んでほしいと思います。意外かもしれませんが、No.2理論は、人が本気になって生きるための理論なのです。優秀なナンバー1になるのは難しいかもしれません。しかし優秀なナンバー2には誰でもなれるのであり、優秀なナンバー2になることで新たなステージが開けてくるのです。

優秀なナンバー2を目指すほうが、目指さないより、絶対に〝おトク〟なのです。

それでは、これから私と一緒に「優秀なナンバー2」を目指して、さあ出航です！

目次

第2章 会社の実態は ナンバー2を見ればつかめる

第3章 戦う集団にこそ ナンバー2が不可欠である

第4章 七つの心得がナンバー2のレベルを決める

第5章 間違いない人選でナンバー2を育て上げる

第6章 優秀なナンバー2が優秀なトップをつくる

第1章

会社も組織もチームも
ナンバー2が
伸ばす

No.2 会社の成長に最も重要なものは何か

この章でお話するのは、とっても意外な真実です。

それは何かと言うと、「会社を潰すのは社長であり、会社を大きくするのはナンバー2である」という、世間的な社長さんが聞いたら腰を抜かしかねない真実なのです。

どうして会社を潰すのは社長なのか。

会社を伸ばし、大きくするのは、なぜ社長ではなく、ナンバー2なのか。

第1章では、そのことを中心にお話していきます。スポーツのチームや職場のチームにも当てはまりますが、いちいちそれには言及しません。「ああ、うちのチームに置き直せば、こういうことだな」――そう思って読んでいただければ幸いです。

さて、ここで質問です。

もし、次の質問を問われたら、皆さんなら何と答えるでしょうか。

・会社が成長するために最も重要なものは何か?

きっと「戦略である」という答えが多いと思います。会社経営の成功とは、市場の獲得競争に勝つことである。だからマーケティングや販売、宣伝などの「戦略」が最も重要になると考える人は少なくないようです。

「いや、そうではない」と言う人もいるでしょう。会社を成長させる原動力は「将来のビジョン」であり、「明確な目標」であり、「それなしに企業の発展はない」と。

別の人たちは「人材」や「マネジメント」こそ、会社の成長にとって不可欠であり、最も大切な要素であると考えています。

どれもみな重要です。「戦略」さえ間違っていなければ、「目標」や「マネジメント」はどうでもよいとはならない。会社経営では、どの要素も同じように大切であり、どれか一つだけを選ぶことなどできません。

それでは、質問を少し変えてみましょう。

・会社が成長するための、最も重要なポジションはどこにあるか？

これなら確信をもって、はっきり答えられます。それが「ナンバー2」なのです。

読者の中には会社の社長さんも多いと思いますが、どうぞ気を悪くしないでください。

会社の命運は、トップである社長にかかっています。しかし会社という組織が成長できるかどうかのカギを握っているのは、トップより、ナンバー2なのです。

その理由は簡単です。「目標」も「戦略」も、また「マネジメント」も、実際に社員を動かしてそれを模範となって実行し、形にするのはナンバー2であり、ナンバー2の責務だからです。また、それができる人のことをナンバー2と呼ぶのです。

そう考えると、ナンバー2とは大変な役どころです。

ナンバー2の仕事に比べたらナンバー1のほうは気楽に見える、などと言うつもりは少しもありません。常に増収増益を頭において「目標」を立て、「戦略」を練り、「マネジメント」のあり方を決定していく。たいていの会社では、そうした会社経営の根幹をなすような決断を下すのは、ナンバー1の仕事です。

その意味では企業の規模に関係なく、社長というのは会社の最高意思決定機関であり、**最高経営責任者（CEO）**です。

しかし実際は、いくらでも手を抜けるのが社長です。何しろ一番のトップなのですから、誰も文句を言いません。なかにはナンバー2にみんな任せ切りであるとか、出たとこ勝負の泥縄式で、財務諸表も見たことがないという、本当にお気楽な社長もいます。

むろん、この本の読者にはそんな人は一人もいないと思います。

会社のトップであれば、「どうしたらこの会社をもっと発展させられるか」を常に考え、絶えず自らに問いかけているはずです。

余談になりますが、この、「自らの脳に問いかける」ということが、脳科学的には何より大事で、問えば問うほど私たちの脳は、その答えを見つけ出そうと全力で働くようにできています。全力とは、睡眠中も食事中も、またトイレに入っていても――ということは、潜在意識まで総動員して動き続けるということです。

ですから天才的な発明や発見のエピソードには、夢の中で思いついたとか、入浴中や散歩中にフッとひらめいたという話が多いのです。人の身体的な保有能力は、限界を少しだけオーバーした負荷をかけることでアップしますが、脳の保有能力のほうは、答えを求めて問い続けることでアップするのです。

しかしそんなふうにナンバー1が頭を絞って、「目標」を設定し、「戦略」を練っても、また生産性を大いに高める「マネジメント」の導入を決断しても、それを達成し、現実化し、会社の中に定着できなければ、何の価値もありません。

経営では、考えて決断するだけでなく、確実に達成し、間違いなく現実化し、しっかり定着させなければならない。だからこそ優秀なナンバー2が必要なのであり、会社の成長・発展は、ナンバー2にかかっているのです。

その意味では、ナンバー2は単なる補佐役ではありません。すなわちどんな零細企業であろうと、会社のナンバー2は**最高業務執行責任者（COO）**なのです。

No.2 会社のナンバー2には三種類ある

けれど「ナンバー2」は、COOのような役職ではありません。会社の序列に「ナンバー2」というポストがあるわけでもない。「私がナンバー2に立候補します」と手を挙げるのでもありません。どちらかと言うと漠然としています。

一般には「副社長」「専務取締役」など社長に次ぐポストにある人が、ナンバー2であると見なされます。しかしこれもすべてに当てはまるわけではありません。一族経営や家族経営になると、「副社長」や「専務」など経営陣は、社長の一族や家族が占めており、実質的なナンバー2は、経営陣以外にいるケースもあります。

つまりナンバー2は、ポストで決まるわけではないのです。

これから話を進める都合上、ここで、ごく簡単に「ナンバー2とは何であるか」を定義しておきましょう。

ナンバー2とは、文字通り「二番目」という意味です。

と言っても、ナンバー1より劣るとか、実力でかなわないという意味ではありません。ナンバー2のほうが実力的には明らかに上である。世の中にはそんなケースはいくらでもあり、それでうまくいっている会社も多いのです。

ナンバー1とナンバー2は、スポーツの1位、2位とは違います。大相撲の「横綱」と「大関」のような、番付表の一番と二番でもないし、今週の人気ランキングの1位と2位の違いでもない。つまり競争の結果ではないのです。

私たちが「ナンバー2」と言うときは、三つの意味合いがあります。

①ポジション的にナンバー1の次

社長に対する副社長、監督に対するヘッドコーチ、親分に対する一の子分、校長先生に対する教頭先生。つまり、役職とか序列の二番目にくる人が「ナンバー2」であるというケースです。

②トップが自分の次に信頼している人

トップが信頼して相談し、その力を当てにしている人です。

一般的には信頼の大きさと、序列の位置は重なります。しかしそう言い切れないケースもあり、たとえば『三国志』の英雄・劉備玄徳が、三顧の礼をもって迎えた軍師・諸葛孔明などはその例外になるでしょう。

軍師を今風に言えば、戦略立案の経営コンサルタントです。とくに会社がピンチに陥った場合など、新しい発想を取り入れるために、生え抜きの部下より外部のコンサルタントを頼るケースも少なくありません。

③トップの後継者

会社であれば、二代目、三代目です。古参の幹部がどんなにいても、そんな序列は無視してナンバー2と見なされます。「序列で次の人」や「トップに信頼される人」の場合は、実力もそれなりに備わっています。しかし「跡継ぎ」の場合は必ずしもそうでなく、そこにお家騒動と会社経営の危機が存在するのです。

しかしどんなタイプのナンバー2であれ、果たさなければならない「役割」と「働き」は同じです。そのことを理解し、ナンバー2としての自覚をしっかり持っているかどうか――ナンバー2のタイプより、そのことのほうが大事です。

ナンバー2と呼べる人が見当たらない会社、あるいはその自覚がない人がナンバー2としての実権だけを握って、手放さないような会社に未来はありません。

右肩上がりの時代には、それでも通用しました。しかし組織のカナメであるナンバー2が十分に機能しないような会社は、この時代のスピードに対応できず、いずれ悲しい結末を迎えなければならないことは、もう目に見えています。

何も脅かしでそう言うのではありません。お化け屋敷ではないので、いたずらに脅かしても、誰も喜んでくれません。たとえば、会社を「船」にたとえてみましょう。

①ナンバー1（最高経営責任者）は船長であり、舳先《へさき》に立って船の進路を決定し、進むべき方向を指し示す。

②ナンバー2（最高業務執行責任者）は、ナンバー1の指示を受けて、クルー（乗組員）を統率し、ナンバー1が指し示す方向へ、実際に船を進める。

つまり船のように、「前へ進まなければならない集団」を動かすには、①集団に「方向性を与える役割」と、②「その方向へ進むようにメンバーをまとめ、組織していく役割」があり、ナンバー1は①の役割を、ナンバー2は主として②の役割を担っているのです。

そのナンバー2がしっかり機能せず、②の役割が十分に果たされなければ、当然ながら船は早晩難破することになります。

現在、ナンバー2のポジションにある読者に質問です。

・ナンバー2（最高業務執行責任者）としての強い自覚がありますか？

・ナンバー2としての役割をいつも考えていますか？

ナンバー1すなわち社長の立場にある読者にも、やはり質問があります。

・あなたのナンバー2に、ナンバー2としての自覚をしっかり持たせ、その役割を理解させていますか？

スポーツチームの監督や責任者、また会社の課長や係長、主任など職場の上司にも、お聞きしておきましょう。

・あなたのチームには、あなたの指示を受けて他のメンバーをまとめる役割の、ナンバー2がいて、ちゃんと機能していますか？

No.2 ナンバー2は組織のカナメをなす

オオカミの群れにもボスがいて、手強い相手と戦うときには一糸乱れぬ見事な連係プレーで敵を倒します。

けれどオオカミの群れに、ナンバー2はいないようです。

いつもボスの傍らに控えていて、作戦会議の席で他のオオカミに「おまえは後方からターゲットに迫ってくれ」とか、「相手が逃げ出したら、お前は左から一気に飛びかかれ」などと、具体的な指示を与えているナンバー2の話は、『ジャングル大帝』のようなアニメの世界以外に、一度も聞いたことがありません。

また、群れの仲間がやる気をなくしていると、「しっかりしろ。おまえがやる気をなくしてどうする！」と叱咤したり、「最近自信がなくて」とこぼす若手には、「なに、大丈夫だ。きみなら絶対できる」と勇気づけながら、獲物のノド元を一発で噛み切るノウハウをコーチしていたりするという噂も聞きません。

聞かないのも当たり前です。

言葉を持たない動物は、いわゆる「コミュニケーション能力」がありません。「トップが指示する方向へ進むようにメンバーをまとめ、組織していく」というナンバー2の役割を果たすには、どうしても使わなければならない能力が一つあります。それがコミュニケーション能力なのです。

したがって、オオカミにナンバー2はいません。ケンカの強さで序列2番になるオオカミはいるかもしれません。しかし全体をまとめて、メンバーにそれぞれの役割を間違いなく果たさせるナンバー2は絶対いないと断言できます。

そのかわり、彼らは見事な連係プレーを可能にする、本能的な一体感を持っています。言葉で教えなくても、一瞬一瞬変化する状況の中で、自分は今、何をしなければならないかを体で理解しているのです。

そういう本能的な連係プレーができないからこそ、人間が集団で何かやろうとするときは、目標を指示するナンバー1だけでなく、それをより確実に、より効果的に、より生産的に行えるように、全体をリードするナンバー2が必要になるのです。

逆に言えば、こうも言えるでしょう。

・ボスの下にナンバー2がいると、ただの群れが「組織」に変化する。

暴徒が商店などを襲うような暴動でも、リーダーは自然発生的に生まれます。しかしナンバー2がいないそれは、まだ組織ではありません。暴力的な本能に従って動いているだけの群れです。街のチンピラグループなどはそれでしょう。

ところが、そこにナンバー2が生まれると、それまでの群れは組織に変わります。不良グループのような、若いエネルギーを持てあまし、バイオレンスな欲望を衝動的に発散させているだけの集団が、優れたナンバー2の存在によって、ボスのためなら命もいらないという、恐ろしい集団に変わるのです。

集団の質に変化が起こると言っていいでしょう。

同時にトップの質も変わります。不良グループのリーダーは、自分の気分一つでメンバーを動かしていますが、マフィアのボスなどを映画やドラマで見る限り、気の毒なほどナンバー1としての自分の立場を自覚し、組織の維持・発展に心を砕いています。

辞書を引いてみると、組織（organization）とは、「ある目的を達成するために、分化した役割を持つ、個人や下位集団から構成される集団」と出ています。

大事なのは、〝ある目的を達成するために〟というところです。

たとえば、幕末の京都で活躍した新撰組は、もともと世の中に不満を持つ百姓・町人の子弟や食い詰め浪人の集まりです。とりわけ近藤勇や土方歳三、沖田総司らの中心メンバーは、多摩地方の非武士階級の出身であり、身分的な鬱屈《うっくつ》や、はけ口のない若さのエネルギーを持てあまして、闇雲に時代の激流の中に飛び込んでいったバイオレンスな若者たちでした。

実態は烏合の衆であり、街の不良グループとあまり変わらなかったでしょう。やっていることも変わりません。商家に押し入って金品を脅し取り、それを酒色に浪費する。金品を脅し取れないときは放火する。

しかしその中心人物であった局長、芹沢鴨を暗殺し、芹沢一派を粛清して、近藤勇がトップになったときから集団の質が変わっていきます。尽忠報国の旗印のもとに厳格なルールが実施され、機能的に活動できるように隊が編成されます。隊士は十個の隊に分けられ、それぞれの隊を管理する「副長助勤」が任命され、その下に二人の伍長が置かれる。

副長助勤という名前からもわかるように、十人の副長助勤を統括しているのは「副長」であり、その上に「局長」がいます。つまりナンバー2を組織のカナメとして重視したのが新撰組という集団だったのです。

ナンバー2は組織のカナメ

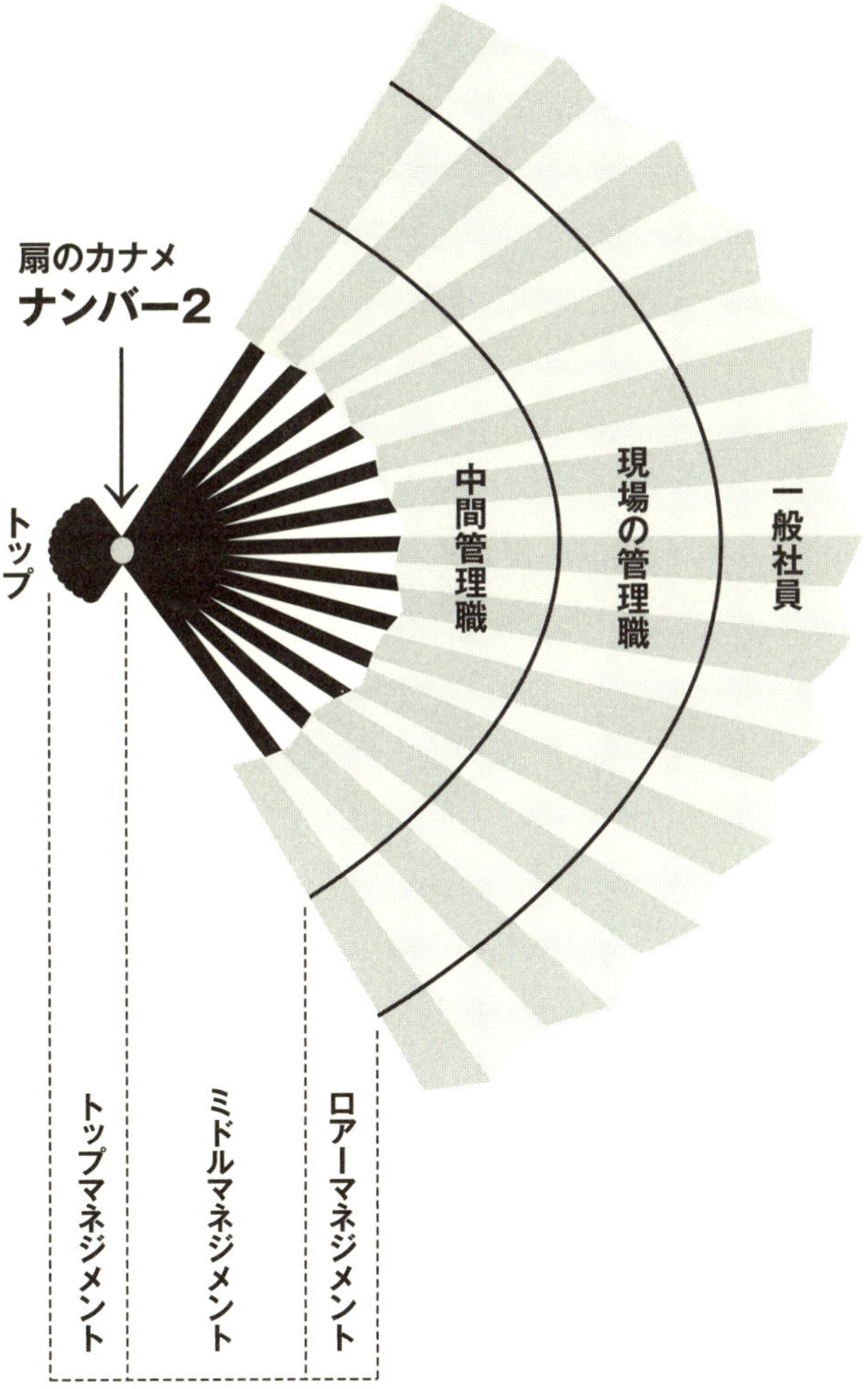

言い換えれば、副長は、副長助勤という管理職を統括している中間管理職です。

150年前の集団ですが、私たちの組織ときわめてよく似ていることに気づきます。会社も軍隊も、すなわち〝ある目的を達成するために〟活動する機能的な集団は、必ずこういう組織を持っています。幕末の京都で勤皇の志士たちを震え上がらせた、この組織をつくり上げたのが、きわめて優秀なナンバー2だった副長の土方歳三でした。

組織のカナメは、管理職を統括するナンバー2なのです。

No.2 ワンマン社長はいつか限界に直面する

オオカミとか不良グループとか、少しばかり物騒な話が続きました。そろそろ私たちの会社やチームの話に戻りましょう。

言うまでもなく会社は、単なる個人の集まりでなく、一つの組織です。

けれど個人の集まりだった集団も、いったん何かの目的を持ち、その目的を達成するために動き出すと、その活動をより効率的、効果的に行うために「組織」に変わります。あるいは、変わらなければなりません。

それぞれのメンバーに役割が与えられ、目的達成という観点からメンバーを統率する新しいポジションが生まれる。それがナンバー2であるという話をしました。

けれど、「うちにはナンバー2がいない」というケースもあります。

その場合、トップがナンバー2を兼ねています。たいてい小さな会社です。社員4、5人で、仕事の役割もはっきり分化していない。個人の集まり的な気分が濃厚で、目的意識もあまり高くないのが一般的です。

もしこの段階で、明確な目標を掲げ、効率・効果・生産性を重視し、そのためにナンバー2を置いて「戦う集団」を組織できるなら、会社の成長は格段にスピードを増します。すなわち業務執行の面はナンバー2にすべて任せて、トップは「最高経営責任者」の仕事に専念する。こういう集団は小さくても確実に伸びます。

ただしそれを行うには、メンバーの理解と了解がなければ、人間関係が悪くなるのは言うまでもありません。小さな会社の社員・従業員は小人数で和気あいあい、のんびり仕事をしたいという気持ちが強いからです。

それも一つの会社のあり方ですから、否定はしません。

けれどもっと大きな会社にしようとか、もっと儲かる会社にしよう、あるいはこの苦境を何がなんでも切り抜けなければならないということであれば、第一に意識改革が必要になりますが、社員の意識改革は、ナンバー2なしに行うのは難しいでしょう。

社長の号令だけでは、人の心まで変えられません。

社長の意図や目的、将来のビジョンをわかりやすく、場合によっては一人ひとり説明し、メリットを理解させ、みんなの気持ちをのせていく。さらに自らが社員の手本となって働く――経営サイドと社員サイドの中間に立ったナンバー2が必要になるのです。

これがナンバー2の仕事、ミドルマネジメントの原点です。

人の集まりにナンバー2はいらないけれど、何かを目指す組織にはナンバー2が必要になるという意味を納得していただけたでしょうか。

ところが、会社が大きくなったのにナンバー2が見当たらない会社、ナンバー2はいてもちゃんと機能していない会社が少なくありません。一番多いのは、社長がワンマンで部下を信頼せず、何でも自分の手でやらないと気がすまないという会社です。

社員4、5人のレベルを超えると、トップがナンバー2の役までこなすのは徐々に難しくなります。20～30人の規模になれば、一人ではもう全体を掌握し切れない。トップ以外の誰かがナンバー2の役を引き受けないと、組織として機能不全に陥り、せっかくの戦力を生かし切れなくなるのです。それでいて、「人材がいない」「人材不足だ」とこぼす経営者がよくいます。

ですからアマチュアスポーツでも、チームには必ずキャプテンがいます。会社の現場で上司がチームを指導する際も、リーダーを指名します。彼らは、監督・上司というトップの下にいるナンバー2なのです。

たとえ指名しなくても、スムーズに仕事をこなそうとすれば、まとめ役が必要になり、自然とリーダー役が誕生する。上司は、そのリーダーを介して管理・指導するはずです。自分で直接みんなを動かすより、職場のナンバー2を通して行うほうが、ずっとスムーズにいくし、戦力であるメンバーを生かせるのです。

企業の成長・発展と照らし合わせてみると、こういうことになります。

①ごく小さな集団は、ナンバー2がいなくても機能する

そこでは、「集団に方向性を与える」というナンバー1の役割と、「その方向へ進むようにメンバーをまとめ、組織していく」というナンバー2の役割を、トップが一人で担って

います。しかしこの段階でも、より生産性の高い「戦う集団」を目指すなら、ナンバー2をつくり、社長はトップマネジメントに専念すべきです。

②組織が大きくなるほど、ナンバー2が必要になる

30人の会社を300人、3000人にするとか、年商5億の会社を50億、500億の会社に成長させるには、優秀なナンバー2が必ず必要になります。

ところがこの段階でも、トップがナンバー1とナンバー2の役割を同時にこなしていると、組織は機能不全に陥ります。

したがって、会社が大きくなりかけの時期に「ワンマン社長」などと呼ばれ、それをマルチな能力の証明であるかのように錯覚して、ナンバー2にその役割や権限を委ねようとしないトップなど、会社の成長を阻害する以外の何ものでもありません。

③大組織になってしまうと、ナンバー2の存在意義は薄くなる

一方、大企業のような巨大組織になると事情が変わってきます。

ナンバー2も組織の歯車に過ぎません。その役割は、いろいろな部署に分割されて、ナ

ンバー2個人の働きはだんだん小さくなります。せいぜいトップの相談役、あるいは次のトップを狙うライバルとしての役目があるだけです。

つまり、会社が発展する過程で必要となるのがナンバー2なのです。

逆に言えば、ナンバー2がしっかり機能しなければ、会社は大きくならない。ナンバー2が優秀でない組織は、伸びる時期に伸び切れないのです。

さて、この章の冒頭に、「会社が成長するために最も重要なものは何か？」と質問しましたが、会社が成長するために最も重要なのは**「ナンバー2である」**という、いささか意外なこの答えを納得していただけたでしょうか。

No.2 ナンバー2は組織を伸ばしナンバー1は組織を潰す

ここまで述べてきたことを整理してみましょう。

集団には必ず「リーダー」がいます。

集団が「組織」になると、リーダーは二つの仕事をこなさなければなりません。一つは、目的・目標を定め、それを実現する戦略を決める意思決定の役割。もう一つは、そういう目的や目標を実現するためにメンバーをまとめ、引っ張っていく業務遂行の役割です。

厳しいビジネス環境の中で生き残りを賭けて戦う今日の企業のように、高度に組織的な活動を行う集団では、その二つの役割を分担しなければ、十分に「リーダー」の仕事を果たせなくなり、組織は機能不全に陥ってしまいます。

ナンバー2は、メンバーをまとめて目的や目標を確実に、また効果的に実現するという、リーダーの役割の一つを主として担うポジションなのです。

ただの「補佐役」でも「代理」でもありません。

つまり、ナンバー2は「アホ」では務まらないのです。

こう書くと誤解を招くかもしれません。アホにはナンバー2は務まらないけれど、ナンバー1なら務まると言いたいのか！　そんな誤解を生じそうな言い方です。

不愉快な気持ちになった読者がいたらお詫びします。

しかし実際のところ、その通りなのです。

正直言って、ナンバー1はアホでも務まります。

と言うより、ナンバー1はアホほど向いています。もちろん目標を立てたり、戦略を練ったり、マネジメントのあり方も決めなければならないので、バカでは務まりません。

けれど世の中の常識人が聞いたら、「なんちゅうアホや」と言いたくなるような、とてつもなく大きな夢を、自分なら平気で実現できると思い込んでいるような、ドーパミン分泌過多系の〝夢見るアホ〟でも、ナンバー1は務まってしまうのです

ナンバー2が優秀でさえあれば、本来ならドーパミン系のアホにとっては大の苦手で、とてもじゃないけどできそうにない会社経営などという、面倒なことまで立派に行えてしまうのです。

ナンバー1に必要な第一の才能は、「夢見る力」です。

たとえば、ホンダの創業者・本田宗一郎さんがそうでした。

浜松の小さな町工場の〝おやじさん〟だった頃から、「いずれ世界一になる」という、人によっては誇大妄想や大ボラとしか聞こえない、非常識な夢を平気で公言しているような、正真正銘の〝夢見るアホ〟でした。技術屋としての夢。当然、会社経営の実務のほうは得意でなく、それまでに何度か失敗していました。

——技術では世界一になる自信がある。しかし経営の才覚はないらしい。金銭管理や経営は誰かに任せて、自分は技術者として世界一を目指したい。

そう思っていた本田さんの前に現れたのが、やがて本田さんと二人三脚で「世界のホンダ」をつくり上げることになる、大番頭・藤沢武夫さんでした。

本田宗一郎という〝夢見るアホ〟（失礼！）が、藤沢武夫という優秀なナンバー2を得て、その真価を発揮できたのです。

私はアドバイザー、コンサルタントとして多くの会社を見てきました。また世の中の企業を多く研究してきました。それではっきり断言できるのは、社長さんたちの「会社を大きくするのは社長であるおれだ」「おれがいなくなったら、この会社は潰れる」という思いとは逆に、こんな経験則が成り立つということなのです。

・会社を伸ばすのはナンバー2であり、会社を潰すのはナンバー1である。

「まえがき」でもふれたように、会社が倒産する理由はいろいろあります。放漫経営や連鎖倒産、過剰投資、戦略的な誤算、時代への適応性を欠いた体質、生産性などの問題点を改善できない危機意識の乏しさ、社長の勉強不足などなど。

そして、これらの原因をつくったり、原因を拡大したりして会社を危機に陥れてしまうのは、みんなナンバー1なのです。

とりわけ夢見る能力の高い、優秀なナンバー1ほど、手元が狂うと夢に振り回されて経営感覚をなくしやすい。長年の夢だった新事業に手を出して、思いっ切り失敗したなどという例は、枚挙にいとまがありません。

その意味では、夢ほど危険なものはありません。

石ころより、夢につまずくのが人間です。

石につまずいても、骨が脆くなっている老人を除けば、だいたい大ごとにはなりません。しかし夢につまずくと、取り返しのつかないケガをしやすいのです。夢だからこそ脇が甘くなる。願望が強いからこそ、無理や無茶をしやすくなる。ワクワク状態だから細部の詰めがいい加減になり、現実を無視しやすい。

わざわざ嵐のど真ん中に船を進めようとするようなものなのです。

ですから、ナンバー2が必要なのです。

嵐の海で波浪に弄ばれる船の中でもクルー（乗組員）と向き合い、「がんばれ」「もう一息だ」と励ましながら、ときには自分もオールを握る。そんなナンバー2だからこそ、舳先に立って目標を見つめている船長に、「このままでは危ない。避難しよう」「その目標は、今この船が目指すべき目標だろうか」と、アドバイスすることもできる。

逆に船長がクルーと一緒に船を漕いでいたら、船は方向を見失います。

会社にとって現実的であり、同時に今の実力をアップさせるような最適な「目標」を立て、そのために最も有効な「戦略」を練り、「マネジメント」も決定するという、ナンバー1の役割が中途半端にならざるを得ません。

会社はオオカミの群れとも、街のチンピラグループとも違います。1日たりとも現状にとどまらず、常に前へ進まなければなりません。

そういう組織のナンバー1とナンバー2は、互いに補い合うだけではない。互いの力を増幅し合うのです。波長の合った音叉を並べて叩くと、共鳴し合っていっそう強い音を発するように、実力以上の効果があらわれるのです。

①あまり優秀でないナンバー1と優秀なナンバー2は、足し算になる（○）

②優秀なナンバー1とあまり優秀でないナンバー2は、引き算になる（△）

③優秀でないナンバー1と優秀でないナンバー2では、（マイナスの）足し算になる（×）

④優秀なナンバー1と優秀なナンバー2なら、組織の発展は掛け算になる（◎）

急成長している会社には、優秀なナンバー1と優秀なナンバー2がいるのです。

トップが優秀なのは当たり前です。

あるいは、トップになったらどんな努力をしてでも優秀なナンバー1にならなければなりません。そんな努力もしないようなトップは、常に前に進むという宿命を持った、会社という組織のトップである資格はないのです。

しかしこれまで「ナンバー1は優秀であれ」ということばかり、強調されてきました。さまざまな戦略やマネジメントの理論があり、トップの多くは、とても熱心にそのノウハウを学んでいます。しかしその効果がなかなかあらわれない。思うように成功しないというケースがほとんどでした。

それは、②のケースが圧倒的に多かったからです。

会社としての成功を目指すのであれば、ともに優秀なナンバー1×ナンバー2になり、組織に「掛け算」を生み出さねばなりません。

この章の終わりに、ホンダのナンバー1とナンバー2の「掛け算」が、どのようにして始まったか、その出会いの場面を紹介しましょう。

No.2 成功は優秀なナンバー2を探すことから始まる

「金のことは任せる」

「それじゃお金のほうは私が引き受けよう」

ホンダのカリスマ経営者・本田宗一郎さんと、本田さんのナンバー2として25年間支え続けた大番頭、藤沢武夫さんが出会ったときの話です。

本田さん42歳。藤沢さんは4つ年下の38歳。ホンダの前身である本田技研の創業から2年目、昭和24年でした。

「金のことは引き受ける」と言ったあと、藤沢さんは「ただ」と続けました。

「今期いくら儲かる、来期いくら儲かるというような計算はいまはたたない。基礎になる方向が定まれば、何年か先に利益になるかもしれないけれど、これはわからない。機械が欲しいとか何がしたいということについては、いちばん仕事のしやすい方法を私が講じましょう。あなたは社長なんですから、私はあなたのいうことは守ります。ただし、近視的にものを見ないようにしましょう」

　本田さんもうなずきます。

「それはそうだ。おたがいに近視的な見方はしたくないね」

「わかりました、それでは私にやらせてくれますか」

「頼む」

　話がまとまるまで、わずか数分だったと言います。「世界のホンダ」を育て上げたトップとナンバー2――黄金コンビの誕生でした。

　もしこの出会いがなければ、天才的な技術者と言われた本田さんといえども、今日のような世界のナンバー1企業はつくり得なかったでしょう。それどころか静岡県浜松という地域限定の、地方有名人で終わっていたかもしれません。

　世間では「本田宗一郎の技術屋としての天才と、藤沢武夫の経営手腕が、互いに補い合ってホンダを発展させた」と言われます。

　しかし二人の人間が補い合うだけで、世界のナンバー1企業はつくれません。つまり補い合う足し算ではなく、掛け算にならなくてはならない。その掛け算が見事に実践され、花開くには、藤沢さんのひと言がどうしても必要だったのです。

「いちばん仕事のしやすい方法を私が講じましょう。あなたは社長なんですから、私はあなたのいうことは守ります」

つまりナンバー2の、ナンバー2であろうとする覚悟です。

ホンダという会社は一企業として見れば、実質「藤沢商会」だったと言う人もいるほど、藤沢さんの経営センスは抜きん出たものでした。立場はナンバー2でも傑出した経営者であり、ご自身がトップになっても相当の実績を残したでしょう。

その人が自らナンバー2になろうと覚悟したのです。

藤沢さんは、著書『経営に終わりはない』（文藝春秋）にこう書いています。

「私は戦前から、だれかをとっつかまえて、いっしょに組んで自分の思い通りの人生をやってみたいと思っていました。その場合には、私はお金をつくって物を売る。そして、その金は相手の希望しないことには一切使わない。なぜならば、その人を面白くさせなければ仕事はできないにきまっているからです。

大きな夢を持っている人の、その夢を実現する橋がつくれればいい。いまは儲からなくても、とにかく橋をかけることができればいい」

そして、藤沢さんはこう続けます。

「私は、自分の一生を賭けて、持っていた夢をその人といっしょに実現したいという気持だった。そこから私はスタートしたんです」

こんなナンバー2を持ったら、どんな経営者でも成功します。どんな経営者でも成功しますが、本田さんだったからこそ才能の掛け算になり、「世界のホンダ」をつくり上げてしまったのです。

ですから会社を成功させたければ、まずやるべきことは、「優秀なナンバー2を見つけろ」ということなのです。

本書の読者には一部上場企業のトップやナンバー2は、たぶん少ないと思います。一人もいないかもしれません。と言うのも、彼らはすでに成功してしまった人たちです。今さらこんな本を手に取る必要などまったくないからです。

むしろこの本の読者は、主に中小企業の経営者、あるいは中間管理職とか職場のリーダーといったポジションの人たち、もしくはそれを目指す人でしょう。

そういう読者には、ホンダのような世界的企業のトップとナンバー2の話など、まるでリアルではないかもしれません。

遠い世界の話であり、「そんな大きな話をされたって」と言う人もいるでしょう。

しかし本田さんと藤沢さんが出会った、このエピソード時点での二人は、まだ成功者でも何でもありません。１年前に小さな会社を設立したけれど、金銭管理もロクにできない40代の経営者と、疎開先の福島から東京に戻ってきたばかりの、もと町工場のおやじさんに過ぎませんでした。

つまり、大成功など夢のまた夢であり、何もかもがこれからだったのです。その点では、この本の読者である皆さんも、おそらく同じと言っていいでしょう。

言い換えれば、今まさに発展途上にいるわけです。

すでにお話したようにナンバー2が最も必要であり、最も力を発揮するのは、組織が大きくなる過程であり、発展途上の中小企業です。かつての本田技研がそうであった発展途上――「中小」「零細」、みんなこれから大きくなっていく可能性をいくらでも秘めている、発展途上の会社なのです。

皆さんが今いるのは、まさに本田さんや藤沢さんがかつていた場所です。

第2章

会社の実態は**ナンバー2**を見ればつかめる

No.2 ナンバー2の顔にはトップも知らないことが書いてある

クライアントの会社に指導に入るとき、私が一番注目するのは、今期の事業計画でも財務諸表でもありません。ナンバー2の顔です。

まず、ナンバー2の顔を観察します。

と言っても、易者のようにホクロの位置や目の形で、人相を占うわけではありません。それよりもちょっとした眼球の動きや表情の変化、話し方などを観察していると、面白いようにいろいろと読めてしまうのです。

ときには社長も知らないような、会社の実態が見えてきたりします。

・ナンバー2の顔が暗かったり、目が死んでいたりしたら、社長がどんなに景気のいい話をしていても、社内は沈滞し、空気が淀んでいると思って間違いない。

・その目つきや口ぶりから、ナンバー2が何か不満を抱えていることがはっきりわかるときは、すでに多くの社員がその不満に同調している。

・ナンバー2に緊張感がないようなら、現場のほうはユルユルになっており、社長が社員の意識改革を望んでも思うように進まないケースが多い。
・社長の信頼を裏切る行為をしているナンバー2は、こちらの何でもない質問に答えるときも、社長の様子を気にして、明らかに目つきが落ち着かない。
・不都合な事実を隠しているナンバー2は、一般に多弁である。
・トップと考えが一致しているときは自信に満ちている。

このように、ホクロの位置で運勢を占わなくても、わかることがたくさんあるのです。

たとえば、日頃現場を見ていないトップは、現場の空気がどのようなものか直接は知りません。しかし優秀なナンバー2がいる会社のトップは、ほとんどリアルタイムで、手に取るように現場のことをわかっています。

ナンバー2が、しっかり報告しているか、しっかり報告できる仕組みをちゃんとつくっているのです。
・トップが現場のことをわかっているか？
これは、ナンバー2の優秀さを占う手がかりの一つです。

優秀でないナンバー2は、意識的か無意識的かわかりませんが、トップと現場のあいだに立ちふさがって、上から見通しの利かない組織にしてしまうのです。

社員の士気が落ちているのに、ちっともわからない。トラブルが発生しても、事態がよほど悪化するまで何も知らされない。ひどいケースになると、盾となって社長を守るべきナンバー2が、陰に回って社長批判をしまくるなんてことだってあります。

かえって、私のような外部の人間のほうが、ナンバー2を観察することでピンと来ることと、推測できることが多いのです。

No.2 トップとナンバー2の関係にすべてがあらわれる

私が、とくに重視する観察ポイントがいくつかあります。

その一つは、**社長に対するナンバー2の態度**です。

ナンバー2は、どんな態度で社長に接しているのか。むろん私には、普段どう接しているかということまではわかりません。しかしトップ二人が同席するところで観察していると、だいたいの様子が推測できます。

もし皆さんが会社のナンバー1なら、「自分に対するナンバー2」の言動を、またあなたがナンバー2だったら、「ナンバー1に対する自分」の態度を思い浮かべてください。

・ナンバー2は、常にナンバー1を立てていますか？

「良いナンバー2」と「悪いナンバー2」を見分けるリトマス試験紙が、じつはこれなのです。「悪いナンバー2」とは、仕事のできないナンバー2のことではありません。仕事のできないナンバー2も困りますが、戦う組織であらねばならない会社にとって、一番困るのがナンバー1を立てないナンバー2なのです。

具体的な言動で、私が「良いナンバー2」と判断できるのは――

社長が座ったあとに腰かける。社長の一歩先に出てドアを開けている。社長の話はわかり切ったことも傾聴の姿勢で聞く。社外の人間である私たちの前で発言するときは、アイコンタクトなどでそれとなく社長の許可を得ている。話の中でも「社長」「社長」と言及して、社長に花を持たせる、などなど。

会社の個性もあるので、必ずそうすべきだとは言いません。トップに対する尊敬や敬意が自然と言動にあらわれていれば、それで十分なのです。

判断しやすいのは、むしろ悪い材料のほうでしょう。

尊敬や敬意どころか、内心軽んじていたり、ナメていたりすれば、こちらは一目瞭然、たちどころにわかります。

社長の話をさえぎって発言する。社長が話をしていてもまともに聞いていない。社外の人間の前で平気で反対意見を口にする。目を合わせない。不満げな顔になる。社長に対する言葉遣いや態度が丁寧すぎて、慇懃無礼になっている。自分のほうが社長よりわかっているというニュアンスがある（「社長はご存じないと思いますが」など）……。

蔑《ないがし》ろにしたり、小ばかにするような態度が、ナンバー2の言動にチラッとでも見えたら、その会社には「発展」の2文字はないと思ってください。

手の下しようがないなと判断したときには、社長と二人だけになったとき、「あのナンバー2は切りなさい」とアドバイスします。

非情なようですが、はっきりそう申し上げます。

社長を尊敬せずして、ナンバー2の役割は果たせないからです。

と言うのも、尊敬や敬意の気持ちがなければ、人は100％指示通りには動けないものなのです。

仮に指示通り動けたとしても、指示以上の働きは絶対できない。これはナンバー2の役割を果たすうえで、決定的な欠陥です。

なぜなら「1」言われたら、「10」しなければいけないのがナンバー2です。トップの指示を噛み砕いて具体化し、リアルな現場を考慮しながら、最も効果的・効率的に進むように調整する。それを社内に周知徹底させる。さらに実行させて、結果を観察し、常時トップにフィードバックしなければなりません。

これを行おうとしたら、指示内容だけでなく、その奥にある社長の意図まで正しく汲み取る必要があるのです。

・社長の意図に沿って考え、行動する。

それがナンバー2の仕事なのです。

あくまで一般的な話ですが、他人に命令されたいとか、指示されたいと思う人間はあまりいません。私のように大嫌いという人間もいて、つい不快感や反発心が湧いてきます。けれど心にそういうものがあれば、ナンバー1の意図を汲み取り、意図に沿って動くことはなかなかできない。だから素直になるために、尊敬の気持ちが必要なのです。

会社のナンバー2だけの話ではありません。

上司の指示で仕事をする一般社員も同じです。「この人は自分よりできる」という敬意の気持ちがなければ、反発心が頭をもたげてきます。不平不満も募ってくる。そうなると業務遂行にも、自然といい加減なところが出てしまうのが人間でしょう。

集団の中で仕事をする限り、上司は尊敬し、敬意を払わなければならないのです。

この尊敬・敬意が、自然と形になったのが「人を立てる」という行為です。

ですから、トップを立てないナンバー2は切ったほうがいいとアドバイスします。それでなくても、ナンバー2は社員の手本です。その手本が、自分の上にいる人間を立てられなくてどうするのか。

そんなナンバー2は、組織にとって有害でしかありません。

しかし世の中は、ままなりません。「尊敬したくともどうしても尊敬できない」「尊敬したくてウズウズしているのに、どういうわけか尊敬させてくれないんだ」と、淋しそうにおっしゃるナンバー2がいます。

それもけっこうたくさんいるのです。

そんな場合は、いったいどうしたらよいのでしょうか。

その答えは、第4章に書いておきました。トップを尊敬できないナンバー2、現場の上司を「すごい」と思えないチームのメンバー、監督をナメているような選手は、あとでじっくり読んでください。

ちなみにその部分の見出しだけ紹介しておけば、「ナンバー2は形だけでもトップを立てる必要がある」となっています。

念のために申し上げておきますが、トップを立てるのはトップのためではありませんですから悔しがることはないのです。ナンバー2としての役割を果たすため――つまり、自分と組織のためです。

なぜならどんなジャンルの組織にも、次のようなことが当てはまるからです。

・ナンバー2がナンバー1をナメているような組織は、いつか必ず崩壊する。
・ナンバー2がナンバー1を尊敬していない組織は、チャンスに弱くピンチに脆い。
・ナンバー2がナンバー1を立てていない組織は、組織全体の指示伝達回路があちこちでショートしていると思って間違いない。

すなわちそういう組織では、社長の掲げる方針も現場の一人ひとりまで周知徹底せず、目標達成のためにみんなが心を一つにして頑張ったり、全社一丸となったりすることなど、到底不可能なことだからです。

ときどきそんな困った会社の社長さんから、組織改革の相談を受けますが、「ナンバー

１・ナンバー２関係」の再構築からスタートしなければ、成果の上がる改革など望むべくもありません。

もう一度言いましょう。

これはあなた個人の好き・嫌いの問題ではありません。会社が組織としてより機能的であり、より生産的であるためには二人の関係が、何より重要であるということです。そこに組織づくりの核があるのです。

No.2 ナンバー2の魔法の言葉で会社は必ず成功する

もう一つ私が観察するのは、**ナンバー2に対する社長の態度**です。

ナンバー２が社長にどう接しているかも気になりますが、逆に社長がナンバー２をどのように扱っているかも非常に気になるところです。

トップのほうがナンバー２に遠慮したり、気を使ったりしていないか。それが極端になると、ナンバー２の気持ちを損ねてはいけないとばかりに、社長のほうがビクビクしているケースさえあります。

トップに気を使わせるナンバー2は、会社を難破させます。

ここが重要なところです。トップが見据えなければいけないのは進行方向であり、自分の後ろに控えている、ナンバー2をはじめとした社員の顔ではありません。社員の顔を見ているのはナンバー2の仕事であり、そんなところにトップが目をやっていると本来の仕事ができなくなります。

進行方向を指し示す——。

もう大変な仕事です。昔なら太陽や星、少し時代が下るとコンパスを頼りに方向を決めました。今ならGPSもあり、少し大きな船になれば、自動操舵装置が水先案内人になってくれるでしょう。

しかし会社という船に、そんな便利なものはありません。

と言うより経済や市場は不確定な要素ばかりで、正しい方角などないのです。そこでさまざまな情報やデータ、これまでの経験、さらには経験に磨かれたカンを頼りに、船の進むべき方向を決定しなければならないのです。

まわりに気を使い、後方に心を奪われながらできる仕事ではありません。

たとえば、不況で、やむを得ず社員を解雇した。社長は、「申しわけない」という気持ちをすぐに忘れなければなりません。解雇された社員に同情したり、社員たちの批判の矢面に立ったりするのはナンバー2の仕事です。

トップに気を使わせず、心もムダに使わせない。そして、トップとしての仕事に専念してもらう、それがナンバー2の最も大事な仕事です。

本田宗一郎さんに、藤沢さんが言った言葉を思い出してください。

「いちばん仕事のしやすい方法を私が講じましょう。あなたは社長なんですから、私はあなたのいうことは守ります」

仕事のしやすい方法を私が講じましょう——これはトップに気を使わせず、トップの仕事に専念してもらうためです。

あなたは社長なんですから、私はあなたのいうことは守ります——言うまでもなく、私はあなたを社長としてとことん立てましょうという宣言です。

最初に会ったときにこれを言えた藤沢さんは、すごい人だと思います。

こんなナンバー2がいたら、本田宗一郎という天才でなくても絶対に成功します。

もしも「あなたを信じています。何があってもあなたを信じます」と、愛する女性に言われたら、どんな男でも夢中になって頑張って、人生で何事かを成し遂げてしまうのと同じです。

もし読者にナンバー2の立場にある人や、これからナンバー2になろうという人がいたら、その人たちに、ぜひ言っておきたいことがあります。

あなたがトップに、藤沢さんのこの言葉を言うだけで、会社は成功します。間違いなく今より何倍も発展します。ホンダのような大成功は、そこにプラスアルファが必要になりますが、〝そこそこの成功〟ならこの言葉だけで確実に成し遂げられます。

でも、藤沢さんの言葉そのままではダメですよ。

一般には、次のような言葉になるでしょう。

「社長は、自分のやりたいことを思いっ切りやってください。やりたいことが思い切りできるように、私が頑張ります。私に何でも言ってください」

優秀なナンバー2は、ある時点で同様のことを必ずナンバー1に言っています。

つまり、ナンバー2が優秀になる魔法の言葉なのです。

No.2 トップとナンバー2の関係は夫婦と似ている

はじめての会社を訪問したときは、「社長に対するナンバー2の態度」や「ナンバー2に対する社長の態度」をまず観察するというお話をしました。

そこには二人の関係が、自然とあらわれてくるからです。

たった今、「二人の関係」と書いて、ちょっと心配になりました。「関係」という言葉にはセクシュアルな意味もあるそうです。人によっては、〝あやしい関係〟とか〝危険な関係〟と誤解しないだろうかと心配になったのです。

と言うのもその次に、「ナンバー1とナンバー2の関係は、夫婦の関係に似ている」と、読みようによっては、さらに誤解されそうなことをあやうく書く予定でいたからです。

それは、こんな具合です。

ナンバー1とナンバー2の関係は、じつは夫婦の関係と似ています。夫に対する妻の態度や、妻に対する夫の態度を見れば、二人の築いてきた家庭が、どのようなものであるかだいたいわかります。そこで日々交わされる言葉や、子供の表情まで想像できます。

同じようにナンバー1とナンバー2の関係をしっかり見れば、その組織の問題点や弱点があらかたわかってしまうのです。

このようにナンバー1とナンバー2の関係は、〝あやしい関係〟でも〝危険な関係〟でもありません。

強いて言えば、夫婦と同様「運命の関係」であるということです。

運命の関係とは、相手によってあなたの運命が決まってしまうということであり、同時に相手の運命もあなたによって決まっていくということです。

あなたは、そのことを自覚しているでしょうか。

堺屋太一さんの作品に『豊臣秀長　ある補佐役の生涯』（文藝春秋）という小説があります。豊臣秀長という名前は、あまり知られていないかもしれませんが、秀長は、秀吉の弟であり、秀吉のナンバー2として兄を支える生涯を送った人物です。

堺屋さんは、若き日の秀吉にこう言わせています。

「汝《われ》に頼みたいのはそこじゃ。俺は、とにかく、前に走る。上を見ながらひたすらに走る。なればこそ、汝にあとをしっかりと支えてもらいたいんじゃ」

運命の関係とは、こういう関係です。「俺がしっかり走らなければ、成功はないし、汝がしっかり支えてくれなければ、失敗するしかない」。ナンバー1とナンバー2の運命の関係を、堺屋さんは見事に表現しています。

それでは、現代の秀吉・秀長たちの姿を具体的にいくつか見てみましょう。

二人の関係から会社経営のどんな悩みが出てくるか。あるいは会社として、また組織として、どんな弊害や問題点が生じてくるか。ケーススタディとして、あなたの会社と比べながら読んでいただけたらよいと思います。

●ケース1：家族経営・一族経営で起こる甘え体質

中小企業には、家族や一族で経営にあたるところも少なくありません。父親が社長で、ナンバー2が跡継の息子。あるいは兄が社長で、弟が副社長。そういうケースでは往々にして経営にも「家」が持ち込まれることになります。

本来ならナンバー2という公の立場で、大勢の社員を引っ張っていかなければならないのに、父親に対する息子の依存心や甘え、ときには反抗心が出てくる。兄弟の不和が、一枚岩であるべき経営陣の中に対立を生む。

中小企業だけではありません。

家族経営を体質とする企業は、どんな大企業になっても同様の危険を抱えています。最近も経営者の自覚に欠けた、大手製紙会社の三代目が、何十億円もの会社の金をカジノで蕩尽したという事件がありました。

こんな例は経営以前の問題ですが、家庭の事情——家族のイザコザや感情的なもつれ、あるいは反発や甘えなどというやっかいなものが、本来は家庭とは別の論理で動いている、会社という組織に持ち込まれるといろいろ弊害が発生します。

年商100億の建築関連会社A社は、A社長が50年前に設立しました。1990年のバブル崩壊による大不況の際も、必死の努力でどうにか生き延びてきた。不況が一段落した頃から会社もだんだん大きくなり、15年ほど前に大きな工事を受注したのを機会に、それまで大手建設会社に勤務していた弟が経営陣に加わりました。

それが裏目に出てしまったのです。

ナンバー2におさまり、最初は張り切っていた弟ですが、大手とは違う中小の現実に直面し、当初の意気込みがウソのようにやる気を失くします。

こんな場合、遊びにのめり込むのはよくあることです。接待費ばかりがどんどん膨らむ。

それと反比例して仕事がおろそかになる。社員と一緒にオールを握り、模範となって働くべき、ナンバー2の役目は当然果たされません。

一般企業であれば、やる気のないナンバー2など、ポジションをすぐ滑り落ちます。また滑り落ちなければ、会社に未来がありません。

ところが、そこで家族経営・一族経営の悪いところが出てしまったのです。ナンバー2のほうはトップに甘え、トップである兄は「部下の前で、左遷したり、クビにしたりするのはかわいそうだ」と甘やかしてしまったのです。

その結果、経営陣の中から不満が出てきます。ともにバブル崩壊の苦境時代を乗り切ってきた古参の社員からも、社長批判が聞かれるようになる。会社の雰囲気は徐々に悪くなり、生産性は悪化し、売上げの達成値も大きく落ち込むことになりました。

ナンバー2に危機感がないと対応も後手後手に回り、弊害やダメージが大きくなりやすい。これも家族経営とか一族経営の特徴です。

「あの副社長じゃ、ダメだ。それを許している社長もおかしい」という声が、公然と聞かれるようになりました。

結局、兄が決断し、家族や親戚の反対を押し切って弟にクビを言い渡します。実際は左遷だったのですが、本人は退社することを望みました。

弟より、会社の立て直しのほうを重要視した。経営者として当然の選択です。

ただ、この解任劇には後日談があります。

「それなら明日から出社におよばず」と言い渡したとき、社長は弟にこう伝えました。

「もし心を入れ替えられたら、いつでも戻って来い。ただしそのときは、途中入社の一般社員と同じ待遇だぞ」

２年後に心機一転、詫びを入れて戻ってきた弟は、文字通り一からスタートします。生まれ変わったように、懸命に働く弟を見るうち幹部の気持ちも変わります。

「もともと仕事はできる人だ。もう一度チャンスをやろう」

現在、弟は再び副社長の席にあります。

徹底的に社長を尊敬しているし、兄弟ですから呼吸もピッタリ合っています。そうなると家族経営の良いところが出てきます。

「雨降って地固まる」と言いますが、そんな空気が会社全体に波及し、企業の体質まで変わりました。家族経営・一族経営が陥りやすい甘えの体質を克服し、会社全体がギュッと引き締まったのです。

●ケース2：社長の前に立ちはだかる古参幹部の存在

もう一つ、家族経営の話を紹介しましょう。

創業社長が引退し、事業を引き継いだ二代目のケースです。このB社は会社設立30年を機に父親である社長が会長職に退いて、一人息子が社長職に就きました。

しかし、そのとたんに業績が傾きはじめました。若い社長ですが、まだ前社長が会長として健在ですから、取引先などがこの社長交替を不安に思っているのではなさそうです。

むしろ問題は、社内にあるようでした。

調べると納品が頻繁に遅れ、大口の契約キャンセルが相次ぐといった事態が起きていました。当然、営業成績も低下しています。

あわてて現場を回ってみて驚きました。職場の窓が汚れたままになり、整理整頓もされていません。明らかに従業員の士気がガタ落ちしていたのです。

「いったい何があったんだろう」

若い社長は、一人で頭を抱えます。

現場の状態を的確に把握し、トップへの報告を欠かさない。これはナンバー2の仕事です。ここで即座にナンバー2を呼びつけ、その怠慢を叱責したうえで、現場で何が起きているかを報告させなければなりません。

しかし新社長にとって、ナンバー2の専務取締役は、前社長が会社を興したときの設立メンバーです。苦しかった時代には自宅を抵当に入れるなど前社長と苦労をともにし、会社への貢献度も並外れています。父親も一目置いていました。

ですから、二代目には彼への遠慮があったのです。

これまで会社の経営を長く担ってきた大先輩に、若造の自分が意見できない。おまけに父親からは、「あの人を大切にしろ」ときつく釘を刺されています。

また専務は、自分をここまで育ててくれた恩人でもある。社長になったからと言って、急に態度を変えるわけにもいきません。

「社員の士気が落ちているようですが、どうでしょう。何か原因に思い当たることがあったら、どうぞ言ってください」

そう尋ねると、意外な言葉が返ってきました。

「士気が落ちているとは、私は思いません。先代社長の頃と同じように、みんな一生懸命働いてくれています」

「しかし、現に受注が……」

「この景気では、どこもそうです。もっと長い目で見てください」

「そうかもしれません。けれど成績が落ちているなら、前から言うように何かを変えないと。いい機会だから生産部門でも、仕事のやり方を本格的に見直してみたらどうでしょう」

「それは先代のやり方を否定するということですか？」

「いや、そうじゃありません。もっと時代に即応できるように……」

「これまでうまくやってきたじゃないですか。今も世の中の景気を考えれば健闘していると言うべきです。むしろ効率化とか仕組化とか、あなたがこれまでのやり方を変えようとすることに、社員は不安を感じているんです。そんな人間味のない方法を押しつけるより、社長は先代社長のように、仕事への情熱を、身をもって示すほうがずっといいんです。私は絶対反対です」

「そうですか……」

二代目、三代目になると古参の幹部が大きな顔をしており、社長が、部下である彼らに気を使っているというケースがよくあります。

社長の方針に異を唱える。従来のやり方を良しとし、新社長が提唱する新しい試みは、ことごとく気に入らない。社長の掲げる方針の下で、社員をまとめる立場にありながら、「今の社長ではどうしようもない。お前たちもこれじゃ、やる気が出ないだろう」「先代とは大違いだ」などと不平不満を煽っている。また、子飼いの部下をまわりに集め、徒党を組んで自分たちで会社を動かそうとする。

それほど極端ではなくても、小さな行き違いや感情的なすれ違いもあり、代替わりのときのマネジメントは非常に難しくなるのです。

ここで例に挙げたのは、従業員１００人ほどの製造業の会社ですが、古参社員の二代目への反感はかなり強烈です。アドバイスを依頼された私が進言したのは、そのナンバー２を切ることでした。

会長は反対しましたが、「彼がいる限り、息子さんは真のトップになることはない」と説得し、顧問に退いてもらうという形で決着しました。

それにともなって現社長の同世代、２、３歳年下をナンバー２に抜擢しました。それでさまざまな改革も、スムーズに運ぶようになっています。

また、これとはいささか違うケースもあります。

長年、経営トップとしてコンビを組んできたために、なれ合いが生じ、その〝友だち関係〟を大切に思うあまり、厳しいことが言えなくなっているケースです。

どちらにしても、「言うべきことは言う」「正すべきことは正す」。これを普段からやっていないと、抜き差しならない事態に立ち至ってから、解職・解雇などの最終手段を使わなければならなくなります。

つまりここでも、ナンバー1とナンバー2は夫婦の関係と似ています。どんなに言いにくくても、いえ、言いにくいことほど率直に語り合うという、本気のコミュニケーションを常に心がけていないと、だんだん心が離れて、最後には離婚を言い出さなければならなくなるのです。

●ケース3：友人同士の起業で不足するナンバー2の覚悟

職場の仲間と一緒に脱サラし、自分たちの会社を興す。最高にワクワクする瞬間ですが、友人同士で会社をつくっても、成功するケースは非常にまれです。

どんなに仲の良い友だちであっても会社となれば、それぞれの役割が生まれます。二人であったら一人がナンバー1になり、もう一人がナンバー2となって、役割を遂行しなければなりません。

しかし友人同士の場合、先に紹介した藤沢武夫さんのような気持ちには容易になれないものなのです。

「いちばん仕事のしやすい方法を私が講じましょう。あなたは社長なんですから、私はあなたのいうことは守ります」

気持ちが対等な友だちのままだと、理屈でわかっても心がついていきません。「エラそうに」「おれに命令するのか」、あるいは「どうしてトップの言う通りやってくれないんだ」などなど。感情的な齟齬《そご》が生じ、関係が損なわれてしまうのです。

仲の良い友だちほどうまくいかないものです。

そのうちイヤなところばかり気になり、一緒の部屋にいるのも気まずくなってくる。

ですから幹部社員研修でC社に入ったとき、C社のナンバー1とナンバー2が大学時代の親友同士と聞いて驚きました。というのも二人をどんなに観察しても、とても大学の友だちのようには見えなかったからです。

ナンバー2が、ナンバー1を徹底的に立てています。ドアさえ社長には開かせず、自分が開いて先に通す。「社長、社長」と呼んで、何事も社長の判断を仰ぐ。そこには学生時代の関係を断ち切り、今はナンバー2として社長を押し立てていこうとする彼のキッパリとした決意が見えるようでした。

「昔のように一緒に飲みに行ったり、互いの家を訪ねることもありません。個人的な付き合いは一切やめました。つい、昔の友人同士に戻ってしまうので」

ナンバー2の専務は、そう言いました。私が感心していると、「けれど最初から、そんなふうに割り切れたわけではありません」と言います。

「はじめは〝社長〟でなく、〝さん〟付けで呼んでいました。どうしても〝社長〟と呼べなくて。お得意さんから、〝どっちが社長かわからないね〟と言われたときも、たいして気にしませんでした。けれど大きな案件があって、それに対する入札額で二人の意見が合わなくなり、チャンスを逃してしまったのです。反省しました。会社にトップは二人いらない。社長は一人でいいんだと、やっと思えるようになったのです」

その会社へ行くと、ピンと張りつめた心地良い緊張感がいつも漲っています。

「仲良きことは美しきかな」という誰かの有名な言葉がありましたが、それが通用するのはプライベートの範囲です。

ビジネスでは「仲良きこと」より大切なことがあるのです。

●ケース4：トップハンティングで陥る一任による弊害

業界の中堅どころであるD社は、数年前、組織や業務の全体を見直して、思い切った事業の再編を行いました。10年ほど前から、慢性的な業績の落ち込みが続いていることに対する危機感からの決断でした。

思い切った改革には、痛みがつきものです。

社内の人間的なしがらみに縛られた者には、断行は難しいだろうと判断した社長は、社外からナンバー2を招聘しました。

組織が大きくなると、外からナンバー2を招くケースも多くなります。

とくにD社のような、大きな組織改革を必要とする場合、生え抜きの幹部が責任者になるより、外部に相応しい人材を求めることが少なくありません。

白羽の矢が立ったのは、新規参入の企業ながらアメリカ流の経営戦略を大胆に実行して成功している、ある会社の若手取締役でした。

このヘッドハンティングには反対もありましたが、社長の最終決定でした。

トップの思い切った決断でスタートした「イノベーション（変革）」の試みでしたが、

1年後、残念ながら挫折して終わります。カンパニー制を大胆に導入しようとした結果、会社は空中分解に近い形になってしまったのです。

かえって、重大な危機を招くことになりました。

大きな原因としては、日本的な経営体質のD社にはアメリカ流の経営手法が、あまり合わないにもかかわらず、改革を急ぎすぎたことでしょう。

また、このナンバー2が社内の実情を無視し、いささか強引にことを推し進めようとしたところにも多くの問題がありました。外から来たということは、孤立しやすいことを意味します。根気よく同調者を増やさなければなりません。

実際、他の幹部や一般社員が、外部から来たナンバー2を快く思わず、信頼しなかったことも計画が頓挫した要因の一つに挙げられます。

しかしD社の社長さんに、私が指摘したのはナンバー1の役割です。

「社長さんは、ナンバー2にすべてを一任したのですか?」

「ええ。私が口を出すより、優秀な彼に任せたほうがいいと思いましたから」

しかし人は理論や理屈に従うのでなく、人物に従います。とくに改革に痛みがともなうような場合はなおさらです。

その点、このナンバー2は最初から不利な立場です。

落下傘式に上から降ってきたナンバー2が、相当な批判と反感にさらされることは容易に想像できるでしょう。

「あなたがナンバー2を信頼し、その改革案に賛成して、なおかつすべてを彼に任そうと決断したら、逆に彼を放っておいてはいけません。あなたが楯となって社内の非難から、彼を守っていたら違った結果になっていたはずです」

ナンバー1とナンバー2は、目標の達成を目指して互いに助け合い、フォローし合う関係です。「すべて任せた」という口実のもとに、その関係からトップが逃げていた、その結果がD社の改革の挫折だったのです。

No.2 中小企業は理論・理屈だけではうまくいかない

いろいろなトップとナンバー2の姿を見てきました。会社経営――とりわけ発展途上の中小企業の経営では、トップ二人の関係がいかに重要であるかということを、たぶん感じていただけたと思います。

しかしこの関係は、あまりに身近なところにあるために、当人たちはその重要性に気づいていないのが実情です。夫婦でも行き違いやケンカが多少あっても、気にしない。日常のありふれた出来事として見過ごされてしまいます。

問題として、やっと意識したときは、ここに示したいくつかの例のように、すでに重大な事態に立ち至っているというのがほとんどのケースです。

それをこんなふうに言い換えてもいいでしょう。

・「ナンバー1・ナンバー2問題」は、潜在的な危機としてどの会社にも必ず存在している。油断していると、いつ、どんな形で噴出するかわからない。

経営危機が生じやすいというのは、そこに会社経営のポイント——いわば勘所《かんどころ》があるということです。「勘所」とは、〝物ごとをうまくやるうえで外せない要点〟のことです。

この勘所が、これまでの「経営理論」では重視されてこなかったのです。

重要なのはトップの能力であり、その戦略や戦術、あるいはマネジメントの方法である。トップとナンバー２の関係という、人間臭い部分は重要な問題とは考えられてこなかったのです。

なぜなら「経営理論」というのは、もともと人は組織の歯車であり、その歯車はいくらでも交換可能であるという、大企業の論理だからです。

しかし発展途上の中小企業の場合は、そうはいきません。

仮にナンバー2という歯車にヒビが入ったら、そうそう簡単にかわりは見つからない。トップにせよ、ナンバー2にせよ、その人間的な特徴・個性まで、会社経営に色濃く反映してしまうのが、良くも悪くも発展途上の中小企業なのです。

アメリカのビジネススクールを出たような、敏腕経営コンサルタントに頼り切りの経営者や、経営戦略がすべてと信じているような起業家たちが、はたしてそのことをどこまで理解しているか、いささか心配になってくるのです。

もちろん企業ですから社長のハード的な能力、すなわちその戦略や戦術、マネジメントが一番重要なのは言うまでもありません。

けれど、それだけでは決してうまくいかないのが中小企業の経営なのです。

第3章

戦う集団にこそナンバー2が不可欠である

No.2 戦闘集団の強さには三つの要素がある

スポーツ、とりわけプロスポーツのチームは、「監督」というトップに率いられた、一種の戦闘集団です。天才的な選手でも自由に戦うのではありません。トップが立てた作戦に従って、メンバーそれぞれが最大限の力を発揮し、なおかつ機能的に戦わなければならない集団であり、その点に関しては、私たちの会社と大きな違いはありません。

では、強いチームとは、どんな集団なのでしょうか。

はっきり言っておきますが、試合に勝つチームのことではありません。試合の結果は、一時のものであり、相手チームの出来によっても違ってきます。

強いチームとは、次のようなチームのことです。

①的確な目標を立て、現有戦力に相応しい作戦を立てることができる。

②トップが立てた目標や作戦をチームに浸透させ、そこへメンバー全員の気持ちを誘導して一つにまとめ上げる。

③各選手が、作戦を確実に実行できる技能を身につけ、充実した気力で試合に臨める。

私の知る限り、どんなスポーツ種目であっても、この三段階のプロセスがしっかりできたチームが「強いチーム」なのです。

つまり野球でもサッカーでも、またバレーボールやバスケットボール、ラグビーでも、チームの強さとは、①「目標と作戦」、②「指導力・誘導力」、③「現場の身体的・精神的な技術力」の三つでできています。

このうちどれが欠けても、強いチームは生まれません。

この「強さの三要素」のうち、ナンバー2は、①と③をつなぐ②を担当しています。すなわち、「指導力・誘導力」——トップが立てた目標や作戦をチームに浸透させ、そこへメンバー全員の気持ちを誘導して一つにまとめ上げる、という役割です。

この章では「戦う集団」のナンバー2は、どんな役割を果たすべきか、それを見ていきます。プロスポーツのチームや戦国武将のエピソードなども交えながら述べるつもりです。面白く読んでいただけたら成功です。

No.2 伝説の最強チームはナンバー2が育てた

戦闘集団の強さは、一人、二人の優秀な選手がつくるわけではありません。

たとえば、V9時代（1965～1973年）の読売ジャイアンツにも、長嶋茂雄と王貞治という二人のスーパースターがいました。けれど、この二人だけで9年も連続して日本一の栄冠を手にするのは絶対に不可能です。

当時のジャイアンツは、ベストメンバーをそろえた最強チームとは違いました。その証拠にV9期間中、打率3割に達した強打者は長島と王の二人だけです。投手層も薄く、9年連続優勝にもかかわらず、その間に獲った投手タイトル（最多勝利、最優秀防御率）は、2×9＝18タイトルのうちの、わずか4つに過ぎません。先発した投手が2日後にはリリーフで登板するなど、少ない戦力をやりくりしての連続優勝でした。

後年のジャイアンツのようにズバ抜けた選手を集めるのでなく、普通の選手に最大限の力を発揮させ、チーム力で勝利をつかむ。この戦い方は、米大リーグのロサンゼルス・ドジャースの戦法「スモール・ベースボール」であり、当時ジャイアンツを率いた川上哲治監督が、野球の理想として目指したものでした。

トップが、戦力に相応しい見事な作戦を立てた（①）。

その作戦を徹底的にチームに浸透させた（②）。

さらに選手一人ひとりが、その作戦を確実に実行するために、厳しい練習に耐えて技術を向上させた（③）。

その結果、達成されたＶ９でした。こう考えると「奇跡」と言われた９連覇も、決して奇跡ではなく、チームが組織として最高に機能した結果だったのです。

会社も、基本のところは同じです。①「目標と作戦」、②「指導力・誘導力」、③「現場の技術力」という三つの要素が備わったときに、組織として大きな力を発揮するのです。どれが欠けても強力な組織にはなれません。

川上監督が「スモール・ベースボール」を実践するために、白羽の矢を立てたのが、中日ドラゴンズ出身で、当時新聞に野球記事を書いていた牧野茂さんでした。

日本シリーズ９連覇の偉業を成し遂げたジャイアンツで、ナンバー２にあたるヘッドコーチだった牧野茂さんは、その著書『巨人軍かく勝てり』（文藝春秋）の中でジャイアンツの強さの秘密をこう分析しています。

「かつてプロ野球は、監督が一人で何から何までやることになっていた。会社でいえば中小企業だった。それを大会社のような社長―各部門担当管理職のシステムにしたのは、ほかならぬ川上さんだった」

巨人は1961年に大リーグ・ドジャースのベロビーチキャンプに参加し、「スモール・ベースボール」の真髄にふれて、それを日本に持ち帰りました。

その一つが「大会社のような」と牧野さんが言うシステムだったのです。それまで「監督が一人で何から何までやることになっていた」ワンマン型のマネジメントを、監督の指示を受けたコーチが担うようになったのです。

その象徴がブロックサインです。当時は打者や走者へのサイン出しは、監督が直接行っていました。ご存じのように、今はコーチスボックスのコーチがサインを出しますが、監督がコーチに作戦を伝えて、それに従ってコーチがサインを出すようになった始まりは、V9時代のジャイアンツでした。

トップである監督と、中間管理職であるコーチの役割が分かれたのです。

「コーチは中間管理職である」と、牧野さんは言います。

「勝敗を争う戦闘部隊には、大将の命令を忠実に実行に移す組織（西田註：コーチングスタッフ）が必要なのだ。昔の陸軍でいえば参謀、海軍でいえば幕僚に相当し、戦闘に勝つか負けるかは、この組織のあり方にかかわっている。企業闘争でも、プロ野球でも、まったく同じことがいえるわけである」

牧野さんの言う「大将の命令を忠実に実行に移す組織」＝コーチングスタッフには、投手、打撃、守備、走塁、バッテリーの各コーチ、さらにトレーニングコーチやコンディショニングコーチなどがいます。

これらの管理職、昔の軍隊で言えば参謀とか幕僚にあたるコーチングスタッフのリーダーが、ヘッドコーチというナンバー２なのです。

牧野さんはさらに続けます。

「野球において監督は社長であり大将であるから、監督はまず、チーム作りや試合遂行の大綱を決め、命令を下し、指揮をとる。その大綱、命令、指揮を補佐し、推進していくのがコーチである。巨人がＶ９を達成出来た一つの理由に、やはりこの監督とコーチのあり方の成功を上げなくてはならないと思う」

このような役割分担のカナメが、ナンバー２なのです。

牧野さんは後年、面白い言葉を残しています。

「おれは選手をひとりも育てたことのない唯一のコーチだ」

コーチの仕事は選手の育成であると思われていた時代に、選手個人でなく、チームを育てたのが牧野さんでした。「育ての親として慕ってくれる選手が、おれにはいない」。そんな淋しさも伝わってきますが、ナンバー2の役割に徹した人の言葉です。

No.2 トップにとって優秀なナンバー2は絶対に必要である

今のプロ野球ではすっかり当たり前の、「監督（トップ）→ヘッドコーチ（ナンバー2）→コーチ（管理職）→選手（現場）」という、マネジメント・システムを確立したのはV9時代のジャイアンツでした。牧野コーチが分析するように川上巨人の栄光は、このシステムの成功による部分が非常に大きかったのです。

中学生でもわかるように言えば、有能な人材がてんでバラバラに活躍するのでなく、みんなが心を一つにして、力を合わせて頑張るほうが、より強くなれる——そのことを証明

チームのカナメとしてのナンバー2

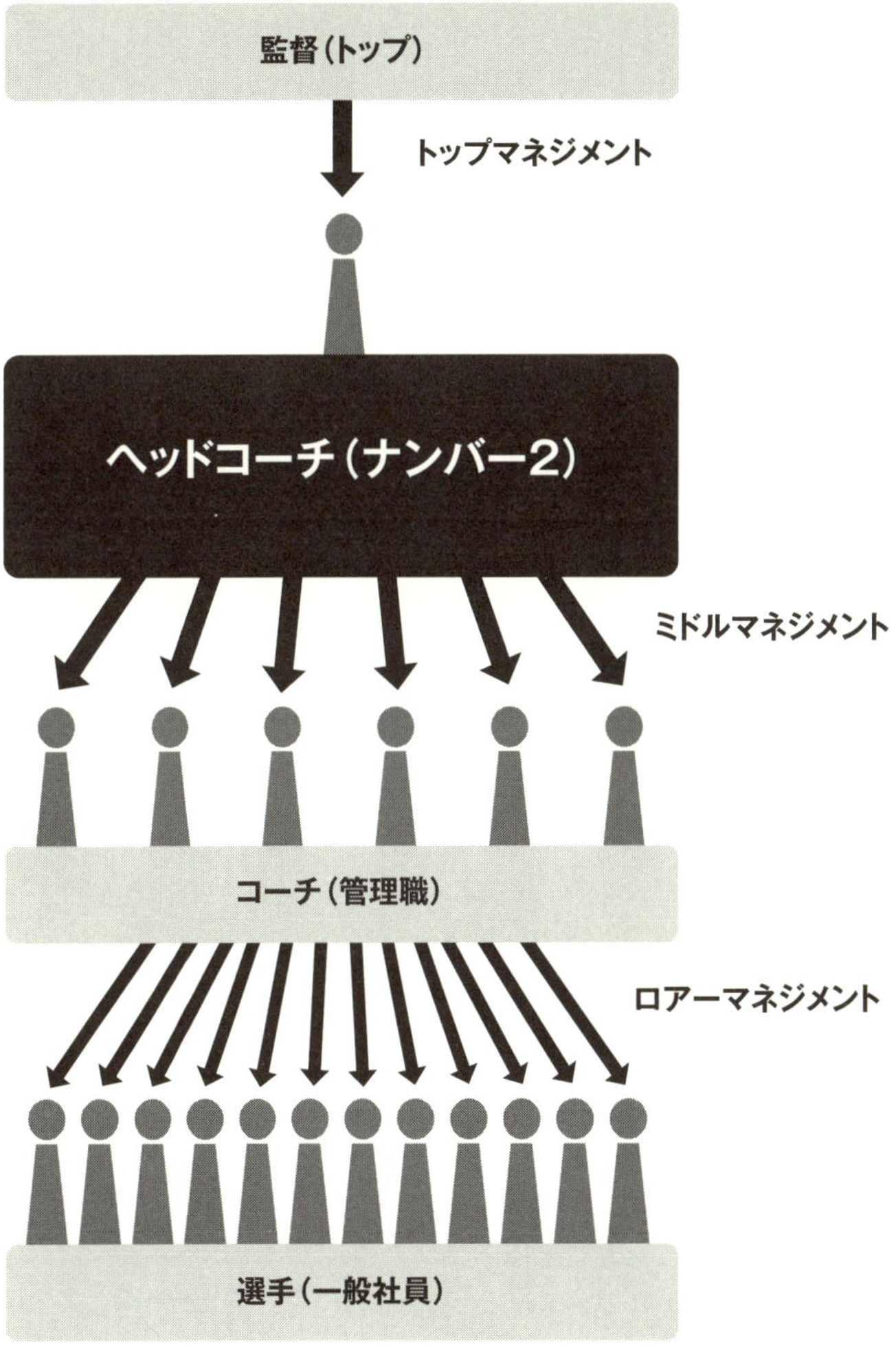

したのが、この時期の川上巨人だったのです。

ところが人間は、オオカミの群れとは違って、なかなか心を一つにできません。そう簡単には力を合わせることもできないのです。

なぜなら私のように、やたらと命令されるのが嫌いな人間もいます。努力なんか、できればしたくないという人もいるし、そもそもその努力の仕方がわからないという人もいるのが集団というものです。

持てる能力にかかわらず、いろんなタイプの人間がいます。

川上巨人の9連覇は、そんな雑多な人間の集まりである集団のメンバーが、心を一つにし、力を合わせて最大限の能力を発揮するには、「トップ→ナンバー2→管理職→現場」という組織化されたマネジメント・システムが、非常に効果的だと教えてくれたのです。

それにしても、なぜ「トップ→ナンバー2→管理職→現場」であって、「トップ→管理職→現場」ではないのでしょうか。なぜ「川上監督→コーチ→選手」ではなく、「川上監督→牧野ヘッドコーチ→コーチ→選手」のほうが、チームは強くなるのでしょうか。

組織にナンバー2が必要な理由は、第1章でも述べましたが、ここでもう一度整理しておきましょう。

①トップは、トップマネジメントに専念しなければならない

現代は時代変化のスピードが速く、ビジネス環境も日に日に移り変わり、今日の状況はもう昨日と同じではありません。

そんなところで会社を経営するのは、大荒れの海を小さな船で渡るのと同じです。横から大波を受けて転覆しないように、また岩礁や氷山に船体をぶつけたりせず、間違いなく目的地に近づくためには、トップは、集団に目指すべき方向と、そのために必要な戦略を示すという、トップマネジメントに専念しなければなりません。

それには安心して業務執行を任せられる、**大番頭役**がいなければならないのです。

②規模が大きくなると、トップ一人で対応するのは難しくなる

もう一つは社内的な必要性です。

会社経営に携わる以上、「会社の発展」を目指さない人はいないでしょう。発展するとは、年商が増えるだけではありません。仕事量も社員の数も増えることになります。また、仕事の種類も多くなり、複雑な要素も出てきます。いつまでも、それらすべてを監督一人

で担うのは困難です。トップはトップマネジメントに専念し、他の仕事は、信頼できるナンバー2に任せる必要が出てくるのです。

たとえて言えば、恋人同士が結婚し、子供が生まれると「父親」「母親」の役割分担ができて、二人が協力し、二人三脚で「家庭」を経営していくようになるのと同じです。会社経営でも**女房役**が必要になるのです。

③トップはオールマイティでなければならないが、人はそうではない

トップとは、じつはオールマイティであることを求められるポジションです。マーケティングや商品開発、生産技術、営業、宣伝広告、また経理とか人事も含めて、会社経営のあらゆることに通じていなくてはなりません。

それが最高経営責任者であるということです。

何でもできるスーパーマンのような人は、あまりいません。普通は得意・不得意、得手・不得手、好き・嫌いがあります。だから、その不得意なところ、力の足りないところをナンバー2に補佐してもらう。技術屋の本田さんが、「金勘定」の得意な藤沢さんと組んだのも、そういうことでしょう。それによって、たった一人のスーパーマンのオールマ

イティより、ずっと大きな才能を発揮できるのです。

自分の才能を補ってくれる**補佐役**がいれば、会社は何倍も強くなります。

④「ひとり」は失敗しやすい

社長は最高経営責任者であり、最高意思決定機関であり、最高権力者です。その権力が大きくなるほど、まわりの人は耳触りのいいことだけを言うようになり、「本当のこと」を言わなくなります。正確な情報が上がってこない。そういう状態を「孤独」と言います。「孤独」は人間にとって好ましい状態ではありません。思考力や判断力がだんだん歪んできます。それでなくとも、こんな時代に会社の命運を一身に背負って決断するのは、大変な重圧であり、かかるストレスも半端ではありません。そのストレスも、過剰になると脳の働きを低下させてしまうのです。

思考力や判断力を健全に維持し、バランスの取れた決定を下すためには、たとえ耳触りのよくないことでも、「本当のこと」を言ってくれる**ご意見番**や、頼れる**相談役**になってくれるナンバー2が必要なのです。

大番頭、女房役、補佐役、ご意見番、相談役——そういうナンバー2を見つけた経営者、育てられた社長はラッキーです。戦略や戦術の勉強も大切ですが、トップがまずしなければならないのは、ナンバー2を見つける努力・つくる努力です。

No.2 ナンバー2のいない組織は脆い

どんな組織にもナンバー2はいます。けれどナンバー2がいるのと、そのナンバー2がしっかり機能しているのとは、まったく別のことです。

世間では児童虐待のような事件が起こるたびに、母親はいるけれど、母親の義務を果たさないとか、父親はいるけれど、いい歳をして自分の楽しみばかり追いかけていて、父親としてまったく機能していないといった報道がありますが、それと似ているかもしれません。それなりの給料はもらっていても、役割を果たしているとは限らないのです。

ナンバー2がいても、ナンバー2として十分に機能しない。

それには二つのケースが考えられます。

一つは、ナンバー2本人に「ナンバー2の自覚」や「ナンバー2としての努力」「ナンバー2に必要な能力」が不足しているケースです⒜。トップが期待するように補佐してくれない。そういう会社の社長さんはいつもイライラ、カリカリしています。

もう一つは、トップが優秀すぎて、あるいは自分は優秀であり、オールマイティであるという過度な思い込みがあって、会社の一から十まで、すべて自分が直接関与しなければ気がすまない、いわゆるワンマン社長のケースです⒝。ナンバー2の影が薄くなり、極端になるとナンバー2に相当する人が見当たりません。

歴史を振り返ると、⒜ナンバー2本人に「ナンバー2の自覚」や「ナンバー2としての努力」「ナンバー2に必要な能力」が不足しているケースとして、まず挙げなければいけないのは、幕末期の徳川幕府でしょう。

薩摩や土佐なども含めて有力諸藩が、切り札として期待した徳川慶喜という、超優秀な人物をトップに持ちながら、あれほどあっけなく崩壊してしまった原因の一つは、将軍を補佐するナンバー2がいなかったためです。

平時の幕府は、責任=権力が一人に集中するのを避けるために「老中」と呼ばれる、名門大名数人の合議制で運営されていました。取締役会議のようなものでしょう。ただ合議制では、リーダーシップが乏しくなります。それで危機のときには「大老」というナンバー2が任命され、強力に政治をリードする仕組みになっていました。

開国という国家的危機の中で大老に就任し、強力なリーダーシップを発揮した人物が井《い》伊直弼《いなおすけ》です。しかし桜田門外の変で井伊大老が暗殺されると、大老になろうという人物、あるいは強力なリーダーシップで危機を乗り越えようとする人物がいなくなります。そればかりか老中職など要職の辞退が相次ぐようになりました。

私でさえ「情けない」と思うのですから、将軍慶喜はどうだったでしょう。

「みんな口では薩摩を討てと勇ましいことを言うが、今の幕府に西郷隆盛、大久保利通のような者が一人でもいるか！」と、自分の幕閣を痛烈に批判したと言います。

ナンバー2がいない組織には、次のような問題が起こります。

・ナンバー2の仕事である「ミドルマネジメント」がしっかり行われない。

・トップがナンバー2の仕事である「ミドルマネジメント」までこなさなければならない

結果、トップの仕事である「トップマネジメント」が十分に行われなくなる。

つまり、強さの三要素の②「指導力・誘導力——トップが立てた目標や作戦をチームに浸透させ、そこへメンバー全員の気持ちを誘導して一つにまとめ上げる」ことができなくなり、また①「目標と作戦——的確な目標を立て、現有戦力に相応しい作戦を立てる」こともできなくなる結果、組織としてだんだん機能しなくなるのです。

維新直前の幕府もそういう状態に陥り、ほとんど空中分解状態でした。たった10年前、井伊大老というパワフルなナンバー2がニラミを利かせていた頃とは逆に、部下（諸大名）のコントロールが利かなくなり、長州のように公然と幕府に反抗する勢力が出てきても罰することすらできません。

対長州戦略や、戦術もまるで立てられないのです。

諸外国から何か要求されても、目標や作戦がないのですから、返答を先延ばしするだけです。ついに相手も「バカにするなよ。もう待たない」と怒り出す。しかし幕府は、これからが本番とばかり、将軍が不在だとか、担当者が病気であるとか、あの手この手で引き延ばし続けるのです。

ナンバー2がいないために、トップである慶喜は孤立し、ついに政権を投げ出すことになりました。大阪に兵隊を置き去りにし、わずかな部下と江戸へ逃げ帰り、上野のお山に閉じこもってしまう。そういうタイプではないだけに、痛ましさすら感じます。

これを書きながら、不況のどん底で自死を選んだ経営者たちのことを思い出しました。

彼らの悲劇も孤立の果てにあったはずです。優秀なナンバー2さえ育てていれば、少なくともそんな最悪の事態だけは避けられたのに――と思わざるを得ません。

No.2 ナンバー2が機能しないと前へ進めなくなる

もう一つ、ナンバー2が機能しないケースとして挙げたⓑのワンマン社長タイプのほうは、私たちのまわりにもたくさんいます。このパターンでもナンバー2が十分機能せず、トップは孤立に追い込まれます。

数々の英雄・天才を輩出した16世紀後半に、日本の将来について最も鮮明なビジョンを持っていたのは織田信長でした。

多くの歴史家が指摘しているように、たぶん信長は非日本的な専制国家のようなものをイメージしていたと思います。「天下布武（武力による日本統一）」という目標をいち早く掲げ、楽市楽座のような経済政策も含めて、そのための戦略・戦術に抜群の能力を発揮しました。

トップマネジメントの優秀さで、信長に勝る武将はいなかったと思います。

ときどき「西田先生は信長に似ていますね」と言われます。「トップとしての能力が、まるで信長のように冴えわたっている」ということなのかと思ったら、どうもそうではないらしい。少々長めの顔が、信長の肖像画に似ているというのです。

私の家は、かつて信長や秀吉が活躍した近江（滋賀県）の商人の出ですから、信長のことは私も尊敬しています。「似ている」と言われるのも嬉しいことです。

ところで、トップとして抜群の能力を持っていた信長が、なぜ「天下布武」という夢の実現一歩手前で、倒れなければならなかったのか。

これについてはさまざまな研究があり、いろいろな答えが可能でしょう。私は、企業の発展とマネジメントの重要さを考える立場から、次のように考えています。

織田信長というワンマン、絶対専制のトップには「ミドルマネジメント」をしっかり行ってくれるナンバー2がいなかったからである――。

ミドルマネジメントがしっかり行われない組織は、トップの牽引力がいかに強くても、いずれ前に進めなくなるのです。

No.2 生き残る組織は三つのスキルを使っている

ここで組織のトップが行う「トップマネジメント」と、ナンバー2の仕事である「ミドルマネジメント」の違いをはっきりさせておきましょう。

85ページにある図を見てください。図の中に「トップマネジメント」「ミドルマネジメント」「ロアーマネジメント」と書いてあります。

この図のもとになっているのは、ハーバード大学教授ロバート・カッツの、いわゆる「カッツ理論」です。これは、組織のマネジメントを「トップ」「ミドル」「ロアー」の三段階に分け、段階ごとにどのようなスキルが求められるかを明らかにしたものです。

①トップマネジメント（社長、監督）：コンセプチュアルスキル
②ミドルマネジメント（ナンバー2、ヘッドコーチ）：ヒューマンスキル
③ロアーマネジメント（課長・係長などの現場の上司、コーチ）：テクニカルスキル

どんな規模の会社でも組織としてしっかり機能させようとしたら、この三つのスキルを

それぞれの場所で発揮しなくてはなりません。

社員数人のごく小さな会社では、社長一人でトップとミドル、ロアーの三役をこなしています。規模が大きくなるほど、だんだんそれは難しくなります。

社長の力量、社員の意識の高さ、また業種によっても変わりますが、その境目を私は30人程度と考えています。

規模が大きくなったのに社長が何でもかんでもやるような会社では、機能不全に陥ってくるのです。信長も尾張の一地方勢力だったときは、それでもよかったのでしょう。わずかな兵力で巨大な敵を打ち倒した桶狭間の戦いでは、トップ自らが武器を持って切り込んでいくような、小集団の機動性がいかんなく発揮されました。

けれど大勢力になっても、そういう軍団の体質を信長は変えませんでした。すべてを自分が直接管理する。ミドルマネジメントが不足し、配下の武将たちの管理も行き届かなくなる。いつかは破綻せざるを得なかったのです。

No.2 ワンマン社長はヒューマンスキルが足りない

企業のトップは、会社という「生き物」に目標を与え、その目標を実現する方法を示し、そこに至るプロセスにあるさまざまな問題にも対処しなければなりません。

そのために一番必要なのがコンセプチュアルスキルです。コンセプチュアルスキルは、日本語で「概念化能力」と訳されます。わかりやすく言えば、「問題や状況を論理的にとらえ、その本質を見抜く能力」です。

たとえば、目標とは「こうなればいいな」という、ただの願望ではありません。分析と洞察、展望が生み出し、意思によって決められるものです。

この本を読んでいる社長さんたちは、まさか来期の目標をヤマカンで、適当に、何となく決めるようなことはしていないと思います。現有戦力を正しく分析し、業界の動向を見極め、未来を展望し、また目標を追求する過程で生じるであろう、さまざまな問題まで予測したそのうえで、目指すべきものとして設定しているに違いありません。

実際の企業活動では当然、予想外の出来事も生じます。生じてしまったら、その原因を素早く洞察し、迅速に解決法を講じなければなりません。

そのためには情報収集能力や、それに基づいて未来を推し測る力、また物事にとらわれない自由な発想力や構想力、スピードある決断力が求められます。

そういうものの全体がコンセプチュアルスキルです。

売上げが落ちたり、社員の士気が明らかに低下したりしているのに、いつまでも原因がつかめないのは、コンセプチュアルスキルの不足です。また原因は明白なのに有効な策を講じられないのも、このスキルに「問題あり」です。

信長という近世最大の戦略家は、驚くべき概念化能力の持ち主でした。

信長の目標は「天下布武」ですが、戦国大名の中でもそんな大きな夢を持てたのは、ほんの数人でした。駿河（静岡県）の守護大名であり、桶狭間で散った今川義元と、甲斐（山梨県）の武田信玄ぐらいでしょう。彼らはもともとの大勢力です。

一方、尾張の一地域勢力に過ぎなかった早い時期から、信長は「天下布武」を明確な目標として掲げ、その四文字を「印」として用いていたほどです。

しかも彼が目指したのは、ただの天下統一ではありません。

各地に大名という独立権力があり、それぞれが自分の土地を支配している封建制を根本からくつがえし、非日本的な中央集権国家の樹立を考えていたようです。その経済基盤として封建制が支える農業より、工業と商業のほうを重視し、貨幣経済を盛んにする。当時としてはまったく新しいビジョンの持ち主だったのです。

しかもその実現には何が必要であり、何が障害であるかを明確に把握しており、長期的な戦略まで抱いていました。

何より必要なのは戦力です。武士が農耕に従事し、農繁期は戦争遂行もままならなかった時代に、兵農分離をいち早く実施し、金で集めた将兵によって、いつでも自由に戦える強力な傭兵軍団を創出しました。

既得権に縛られた「座」を廃止し、かわりに誰でも自由に商売を営むことのできる楽市楽座を置いて税を取る。関所を廃止する。既得権や古い価値観にしがみつく旧勢力（石山本願寺、比叡山など）には苛烈な戦いを挑む一方、堺などの豪商と交わり、大胆な規制緩和を実施しています。

ご存じのように新しい武器である、鉄砲を使った大胆な新戦法を編み出し、西洋の文化・科学知識の受け入れにも積極的でした。

　また敵とは、徹底的に戦いました。一つ、また一つと順々に撃破していくのでなく、いくつもの敵と同時に、多面的に戦うという近代的な戦法でした。

　そのため戦う相手ごとに、部下の武将から責任者を選び、大きな責任を持たせます。互いに功を競わせることで、いっそう大きな戦果を生み出したのです。

　百姓の子だった秀吉を評価し、大名に取り立てたことでもわかるように、信長の人材登用は、徹底した実力主義・成果主義です。家柄や門閥が尊ばれた時代ですから、信長の実力主義は、封建社会の中では活躍できない、野心を持った優秀な人材を集めました。

　その武将たちに重い責任を持たせて競争さ

トップマネジメント

将来を展望し、経営戦略を立てる（コンセプチュアルスキル）

①概念化能力

②洞察力

③問題発見能力・解決能力

せる。それが信長流の人材活用術だったのです。しかし過剰に競わせるその成果主義が、信長の家臣団に優秀なナンバー2が生まれなかった最大の理由であると私は見ています。

自分をオールマイティな神にたとえるほど自信家だった信長は、ナンバー2など必要ないのだと考えた節があります。

しかし、トップのコンセプチュアルスキルを実際に生きたものにしていくのは、ナンバー2のミドルマネジメントです。それがあるからこそ、素晴らしいコンセプチュアルスキルが、より豊かな実りをもたらすのです。

No.2 優秀なナンバー2がいないと社長の夢は実現しない

今日でも、勢いある会社には優れた人材が集まります。

と言うより会社の勢いが、そこに集まった人間を優れた人材に変えてしまうのではないか。とりわけ今売り出し中の若い事業家たち、彼らのまわりで懸命に会社を盛り立てていこうとしているナンバー2、ナンバー3、ナンバー4……つまり、そのスタッフや仲間たちを見ていると、そんな思いにいつも駆られます。

しかし優秀な部下が多くなればなるほど、その部下たちを上手に束ね、大将の旗印の下にしっかり統率することが必要になります。それがミドルマネジメントの大事な仕事であり、ナンバー2の最も重要な任務です。

信長の家臣団には羽柴秀吉や明智光秀、滝川一益、柴田勝家、丹羽長秀、前田利家、徳川家康など、手足となって働く有能な部門管理職がひしめいていました。

けれどそれらの管理職を束ねて、トップと管理職のあいだの調整役を果たすナンバー2が存在しなかったのです。

そのせいで明智光秀をはじめ、信長のまわりには裏切り・謀反が少なくありません。部下を掌握できていなかった証拠です。また誤解や行き違いから離反した優秀な配下もたくさんいます。そうしたことが信長の目標達成スピードを遅らせ、結局は、目的である「天下布武」を不可能なものにしてしまったのです。

私はそう考えています。

・優秀なトップが最後に夢を実現できなかったとしたら、優れたナンバー2が得られなかったからだ。得られても、うまく使いこなせなかったからである。

なぜなら、トップの夢を現実へ橋渡しするのがナンバー2だからです。皆さんもすでに読んだはずの、藤沢武夫さんのこんな言葉を思い出してください。

「大きな夢を持っている人の、その夢を実現する橋がつくれればいい。いまは儲からなくても、とにかく橋をかけることができればいい。物価が倍々と上がってゆくような、戦後のインフレ時代で、多少持っていた戦前からのお金もどんどん消えてゆく状況だったが、でも私は、自分の一生を賭けて、持っていた夢をその人といっしょに実現したいという気持だった。そこから私はスタートしたんです」

天才信長もできなかったのですから、トップマネジメントとミドルマネジメントを同時にこなせる人間などほとんどいません。おそらく皆無ではないでしょうか。少数の部下ならそれができても、事業規模が大きくなるほど難しくなります。

もともと信長のような、前だけを見ているような人間は、ミドルマネジメントに必要なヒューマンスキル（対人関係能力）は乏しいのが普通です。

相手の気持ちを汲んで手心を加えたり、叱ったあとにフォローしたりすることも苦手です。自分の言葉を相手が本当に理解しているかどうか、そんなことはおかまいなし。理解できないのは、理解しない人間が悪い。おそらく信長は、自分の壮大な夢を部下に理解させたり、そのビジョンを共有したりすることさえできなかったでしょう。

いや、そんなことが大切であるとも考えないタイプです。

信長のような、猛烈な前進力を備えた人間は、前へ進むことに夢中であり、横や後ろの人に気を使えないのです。逆の見方をすれば、そんなことに気を使っているようでは、ひたすら前へ進む力が落ちる。だからこそヒューマンスキルの豊かな、ナンバー2が必要なのです。

しかし妹の嫁ぎ先である浅井家を攻め滅ぼし、義理の弟にあたる浅井長政の髑髏《どくろ》に漆を塗って盃にするなど、まわりの人間に恐怖心を抱かせ、その恐怖で相手をコントロールしたり、互いに功を競わせることで最強軍団をつくっていた信長には、そういうナンバー2を育てる心の余裕がなかったのだと私は考えます。

部下はみな自分を畏れている、尊敬しているという過信があったかもしれません。いえ、自信家ですから、もちろんあったでしょう。

あるいは合理主義者の信長にしてみたら、確たる勝算もなしに謀反を起こすような人間が、この世にいるなどということは、想定外だったに違いありません。

人間の不合理な心が、信長にはわからなかったのです。

「天は二物を与えず」と言います。21世紀の現在でも通用しそうな、卓抜したコンセプチュアルスキルを持ちながら、ヒューマンスキルが決定的に欠けていた。それが信長でした。もちろんヒューマンスキルは、やさしさや思いやりではありません。ちょっとドライな言い方になりますが、あくまで何かの目的を実現する過程で、対人関係を有利に導くために必要となるスキルです。

ですから戦国時代のように、裏切り・謀反が当たり前の厳しい世の中ほど、じつはヒューマンスキルが必要だったのです。

信長家臣団のようにナンバー1が強すぎて、ナンバー2が機能しない。そういう組織も、あっけなく崩壊します。

明智光秀の謀反により、京都本能寺で信長がその生涯を終えたのは1582年。48歳のときでした。多くの小説や映画は、最後の言葉を「是非もなし（仕方ない）」としています。どんな逆境でもあきらめず、「仕方ない」などとは決して言わず、困難な状況を突き破ってきた信長ですが、その最後の最後になって、もしかすると本当にこんな言葉を吐いたかもしれません。

コンセプチュアルスキルとヒューマンスキル。

もしあなたがトップであり、トップとして優秀であればあるほど、一般にはヒューマンスキルが不足する。そのことを皆さんは、まず理解しなければなりません。そして、ナンバー2として優秀な、ヒューマンスキルの持ち主を探すべきです。

ミドルマネジメントとは、トップの経営方針や経営戦略を実際に遂行し、会社を運営する能力です。具体的に言うとトップの掲げる目標を達成するために、自分の下にいる管理職（課長・係長・主任）を介して現場の社員を統率・誘導し、動かしていく。その中心になるのがヒューマンスキルであり、コミュニケーション能力なのです。

しかし、ただの〝コミュ力〟ではありません。相手をその気にさせる誘導力や、現実的な調整力・交渉力などが必要です。

当然、心理的な洞察力も大事になってきます。

おそらく信長の部下の中でヒューマンスキルが一番あったのは、「人たらし」と呼ばれた豊臣秀吉でしょう。信長の草履を懐に入れて温めていたなどというエピソードは、その最たるものと言えるでしょう。

しかし猜疑心の強い秀吉は、それを自分の出世のために使うことはあっても、信長のために使おうとはしなかったのです。

・皆さんは前に進む力が強いほうですか？
・それともまわりの人のことが気になるほうですか？

No.2 どんなに優秀でもトップには向かないこともある

秀吉は本能寺の変のあと、はじめて信長のナンバー2になったと言っていいでしょう。今も昔もナンバー2に求められるのは、処理能力・遂行能力です。

秀吉はまず、世間に向けて「逆賊、明智光秀の討伐」という目標を掲げます。信長の遺志と言っていいでしょう。その遺志を執行する最高責任者として、比類ない処理能力・遂行能力を示したのです。

大義や正義に裏打ちされた行動に対して、人は反対できません。むしろ応援したくなるのです。この大義の下に旧信長家臣団を糾合しただけでなく、したたかな調整能力と交渉力で味方をどんどん増やし、短時日で光秀を討ち果たします（**リーダーシップ**）。

信長の死を知った秀吉が、山崎の合戦で光秀を討ち取るまでの日数はわずか10日。電話も鉄道も自動車もなかったこの時代には、ありえないスピードです。この超スピードは、秀吉の処理能力・遂行能力の驚異的な高さをあらわしています。

「本能寺の変」が起きたとき、秀吉は毛利氏が支配する中国地方を攻め取れとの信長の命令で、岡山にある高松城を水攻めで包囲していました。

6月2日早朝に起きた大事件は、翌3日の夜には秀吉のもとにもたらされます。思いがけない知らせが届いたとき、その傍らには秀吉の軍師・黒田官兵衛がおり、呆然自失する秀吉の耳もとに、「天下人におなりなされ」とささやいたと言われます。

これ以降、秀吉は官兵衛を恐れるようになります。秀吉自身さえ気づかずにいた潜在的な願望を、「切れ者」面して指摘してしまったのでしょう。

さっそく高松城の毛利勢と交渉を開始。翌4日朝には講和を結びます。水攻めの水に浮かべた船で、高松城主が切腹したのが午前10時。ただちに2万の軍勢に撤退準備を指示し、毛利勢に攻撃の動きがないことを確認した6日から撤退を開始します。あいにくの暴風雨の中、中国攻めの拠点だった姫路城まで、約70キロの道を2万の軍勢がたった1日で走破しました。世に名高い「中国大返し」です。

姫路城で兵の疲労回復を待つ一方、大阪周辺の武将に「逆賊討伐」の大義と、それを果たしたあとに得られる利益を説いて（**プレゼンテーション能力**）、次々味方につけていきます。光秀の娘ガラシャの嫁ぎ先だった細川家も例外ではありませんでした（**交渉力**）。もちろんそうした調略には「人たらし」（**誘導能力**）と言われるような、秀吉の飛び抜けたヒューマンスキルが役立ったはずです。

山崎合戦の勝利は6月13日。信長家臣団のうちで最大のライバルだった柴田勝家が、「秀吉、光秀を討つ」の知らせを受けたのは、本拠地の福井から光秀討伐の軍勢を率いて、やっと滋賀長浜まで来た16日のことでした。

勝家の動きと比べても、秀吉の遂行能力の高さがわかります。

このように豊臣秀吉は、今日なら「ミドルマネジメント」と呼ばれる組織管理、組織統率の、抜きん出た能力を持っていました。だからこそ信長も、足軽の草履取りから軍団の最上級中間管理者として、破格の抜擢をしたのでしょう。

それでは、秀吉のトップマネジメントはどうだったのか。信長のそれと比べると、やはり劣っていたのではないかというのが私の見方です。と言うのも彼の業績とされる「太閤検地」「刀狩」をはじめ、ほとんどの事業は、信長の政策を踏襲したものです。

その一方、天下人になって以降、秀吉のコンセプチュアルスキルに赤信号が灯るようになります。生涯のナンバー２であり、補佐役・相談役だった弟の秀長が死んだことが影響していると言われます。

孤立したナンバー１は、迷走しはじめます。自ら後継者に指名した甥で、養子の豊臣秀次一党の虐殺や、利休に対する切腹命令、二度にわたる朝鮮出兵など、いずれも客観的な分析力や構想力から生まれたものだったとは思えません。

優秀なトップの下では、与えられた目標に向かって、その力を遺憾なく発揮し活躍するけれど、誰にも遠慮のいらない頂点に立つと、自分の個人的願望やコンプレックスに左右されてしまい、その判断を大きく誤るタイプのトップだったと思えるのです。

ミドルマネジメント

トップの示した経営戦略を遂行する（ヒューマンスキル）

①リーダーシップ
②コミュニケーション能力・誘導能力
③プレゼンテーション能力
④調整能力
⑤交渉力

No.2 末端のマネジメントでは経験がものを言う

私たちの体の動きは、①脳がイメージを思い浮かべ、②神経がそれを信号に換えて末端まで伝え、③末端の筋肉が信号通りに動くことで実現します。

人間の体にはこのような、「脳→神経→筋肉」という三段階のルートがありますが、会社という組織も「トップ→ミドル→ロアー」という、それぞれ役割の違った三段階のマネジメントで動いています。

私たちはここまで、戦乱の世で活躍した武将たちを例にとりながら、トップマネジメントとミドルマネジメントの基本を考えてきました。会社の「脳」と「神経」について述べてきたことになります。次にお話するのは「筋肉」です。

たとえば戦国武将という業界で言えば、総大将の立てた作戦の中で、戦場を駆け巡る兵隊（筋肉）をいかに効果的に動かすかということであり、カッツ理論はそれを「ロアーマネジメント」と呼んでいます。現場の上司（課長・係長・主任）、スポーツで言えば選手を直接指導するコーチ陣、いわば最前線指揮官の仕事です。

具体的な作戦を指揮するだけでなく、間違いなく作戦を遂行できるように部下の技能を高めることも重大な任務であり、戦国業界で言うと侍大将とか足軽大将と言われる、現場のロアーマネージャーが、刀や槍、鉄砲などの武器の扱い方を訓練したり、士気を鼓舞したりしていました。ですから侍大将や足軽大将は、誰より実戦のノウハウに通じ、武器の扱いにも熟達していなければなりません。

したがって、現場で鍛えられ、経験知の高いベテランがなるのが普通で、叩き上げの秀吉もそれを経験しています。逆に言うと信長とか家康という門閥出身の、いわばキャリア

ロアーマネジメント

現場で確実に業務を遂行する(テクニカルスキル)

①高度な処理能力

②説明能力(ファシリテーション)

③部下に技術・ノウハウを伝えるコーチング

には務まらなかったのが侍大将や足軽大将です。

つまりロアーマネジメントに最も必要なものは、現場で必要となるテクニカルスキルです。工場であれば、規格通りの製品をつくり上げる技術であり、そのノウハウです。

しかしロアーマネージャーは、それだけでは務まりません。

すごいノウハウも一人で独占していたら、会社は前へ進めないことになります。

ノウハウは、職場のみんなに共有されてこそ大きな力になる。旋盤の回し方だけではありません。セールストークなどの営業テクニックやプレゼンテーションの仕方、原材料の見分け方、情報集めのコツなどもすべて貴重なノウハウです。

昔は「技術は見て覚えろ」「芸は盗むものだ」と言われました。

ものごとの変化するスピードが、加速度的に速まっている現代では、もう「盗め」などとは言っていられません。部下に対して技術やノウハウをわかりやすく、上手に教える技術（ファシリテーション、コーチング）も、またテクニカルスキルの重要な要素の一つなのです。

No.2 ナンバー2は特別な中間管理職である

組織・会社におけるマネジメントの基本は、トップ→ミドル→ロアーの流れにあり、段階ごとに異なるスキルが必要であることをお話してきました。

最後にもう一度、整理しておきましょう。

・トップマネジメント：目標と戦略（コンセプチュアルスキル）
　集団が目指す目標を立て、現有戦力に相応しい作戦を立てる。

・ミドルマネジメント：指導力・誘導力（ヒューマンスキル）
　トップが立てた目標や作戦をチームに浸透させ、そこへメンバー全員の気持ちを誘導して一つにまとめる。

・ロアーマネジメント：現場の技術力（テクニカルスキル）
　現場の一人ひとりが、作戦を実行できる技能を身につける。

言うまでもなくナンバー２の仕事はミドルマネジメントです。

会社の頭（トップ）と手足（現場）の中間で行われるミドルマネージャーの仕事。その内容をもう少し具体的にお話しておきましょう。

そこには大きな役目が二つあります。

①トップの指示を下に伝え、隅々まで周知徹底させる（トップダウン）

周知徹底させるとは、社長の指示をそのまま伝えることではありません。現場が仕事の内容や目標をきちんと理解できるように、正確に、わかりやすく伝えることであり、さらにその仕事に対するモチベーションを高め、意欲的に取り組めるようにすることです。これができるかどうかで、現場の動きはまるで違ってきます。

②現場の動きを絶えずチェックし、結果を上に報告する（ボトムアップ）

指示を伝えるだけでなく、指示通りに、順調に進んでいることを絶えずチェックし、それを監視して、上にフィードバックするのもミドルマネージャーの役目です。問題があれば、すぐ報告する。その一方で原因と解決法を探り、自分のレベルで対応可能な問題については、そのつど現場を動かし、適切に処理していかなければなりません。

簡単に言えば、この二つがミドルマネジメントの基本的な仕事です。

ですから中間管理職は、トップと現場のあいだで、いわば両方に気を使い、トップダウンとボトムアップの双方向の流れを担うことになります。その過程で上に対しても、下に対してもヒューマンスキルが必要になるのです。

皆さんの中にも中間管理職が大勢いると思いますが、みんな自分のセクションや持ち場でこういう仕事をこなしているはずです。その総元締めとして、会社全体に目を配っているのがナンバー2なのです。

プロ野球のヘッドコーチにならって言えば、会社のナンバー2は、中間管理職のヘッドです。社長のすぐ下にいて、その指示を直接受け取ります。

だからナンバー2は、ただの中間管理職ではありません。通常の中間管理職の仕事のほかに、大番頭役や女房役、補佐役、ご意見番、相談役などの役割も果たさねばならない、特別な中間管理職なのです。

次の章では、特別な中間管理職としてのナンバー2の心得をお話しします。

第4章

七つの心得がナンバー2のレベルを決める

No.2 どうすればナンバー2であることの幸せを感じられるか

「もし」と、松下幸之助さんは書いています。「長年にわたって自ら番頭としての立場に徹し、松下電器のために誠心誠意尽してくれた高橋さんの活躍がなかったならば、今日の松下電器は存在しなかったといっても決して過言ではない」

この言葉は、松下グループの大番頭と呼ばれた高橋荒太郎さんの著書『わが師としての松下幸之助』（ＰＨＰ研究所）に、松下さんが寄せた序文の中にあります。

自分の部下だった人の本だから、お世辞だろうと思うのは違います。「高橋さんの活躍がなかったならば、今日の松下電器は存在しなかった」とは、創業者がお世辞で軽々しく書けることではありません。

松下さんにとって、高橋さんは尊敬すべき最高のナンバー2でした。『新版　番頭の研究』（ごま書房新社）という本を書いた青野豊作さんによれば、自社の社員はみんな〝くん付け〟で呼んでいた松下さんが、唯一〝さん付け〟していたのが高橋さんだったと言います。

「番頭としての立場に徹し、常に松下電器なり創業者である私を第一において、自分というものを律しつつ、社業の発展に誠心誠意を尽すというその姿は、世間にもきわめて類の少ないものであるように思われる」

「そうしたことから私には、松下電器の伝統の精神というものは、私以上に高橋さんがつくってくれたものであるような気がする」

経営の神様に、ここまで言わせたらナンバー2も最高に幸せでしょう。

この本の読者のうち、現在ナンバー2の立場にある人で、「松下幸之助に言われたら、そりゃあ幸せだろう。うちの社長に言われたって、嬉しくも何ともない」と思った人は、おそらくですが、ただの一人もいないだろうと思います。

誰だって、嬉しいに違いないのです。

たとえ5、6人規模の会社でも、20年、30年も働いてきて、最後に社長から「この会社は私以上に、あなたがつくってくれたものだ」と言われたら、どうでしょう。

私だったらヤバイです。きっとヤバイぐらい感動すると思います。

そこで感動しないようでは、優秀なナンバー2とは言えません。と言うのも優秀なナンバー2であったら、高橋さんだけでなく誰でも、**「番頭としての立場に徹し、常に会社な**

り社長を第一において、自分というものを律しつつ、社業の発展に誠心誠意を尽す」ことをし続けているに違いないからです。

その、第一に置いている社長本人から、「あなたのおかげだ。あなたがいてくれたからだ」と言われれば、涙の一つもこぼれ落ちるでしょう。

しかしトップも、そこまで言える人は優秀なのです。

実際は、すべて自分一人で成し遂げたような顔をしている成功者が多いのです。と言うのも思い当たる人はぜひ改めてほしいと思いますが、自分の指示で動く部下に関しては、うまくいって当たり前、うまくいかないのはおまえのせいだと思いがちだからです。

にもかかわらず、ナンバー2を正当に評価し、その力がなければ、今日のような発展もなかったと率直に認めている松下さんも、やはり並みではありません。

優秀なナンバー2とは何か――。

太文字で引用した松下さんのこの言葉は、それを完璧に言い尽くしています。

私が、経営の神様の言葉に付け加えることは何もありません。ですからこの章のテーマは、優秀なナンバー2とは何であるか（What）ではなく、どうしたらそういう優秀なナンバー2になれるか（How）です。

No.2 会社に二つの考え方はいらない

優秀なナンバー2になるには、どうしたらよいのか。その第一は「**トップの考えを徹底的に理解する**」ことです。

たとえば、先の牧野ヘッドコーチが、ジャイアンツのコーチに就任して、まず何をしたかと言うと、川上監督が理想とするドジャース野球を自分のものにすることでした。

「一冊の本を繰り返し読んで、丸暗記した。アル・カンパニスの著した『ドジャースの戦法』という本である。（中略）川上さんのやりたい守りの野球がこれなのだから、丸暗記でもしなければコーチはつとまらないではないか。そのうえ私は若僧で、現役時代の実績も乏しく、しかも外様である。勉強しなければ、とてもやっていけない」

必死になった牧野さんは、ついに監督の理想とする野球のあるアメリカへ、勉強に行かせてくれと申し出ることになります。

監督が理想とする野球を学ぶ。私たちの会社にも通用する言い方をすれば、トップの考え方を理解するということです。

野球でチームづくりの指針となるのは当然、監督の考え方です。得点を与えないことを目指す「守りの野球」、それとは逆の「攻めの野球」、バントや盗塁など小技を多用する「機動力野球」、あるいはデータ重視の「ＩＤ野球」など、監督一人ひとりに違った考えがあります。その考えに基づいて他のコーチを動かし、選手を指導して、監督の考えた通りに動けるチーム、監督の考えた作戦を正確に実行できるチームをつくり上げるのが、ヘッドコーチの役目です。

つまり、自分が良いと思うことを勝手にするのではありません。ナンバー2が、厳に自戒しなければならないのはそれです。トップの考え方に従って、組織をまとめるのであり、自分の考え方が、トップのそれと大きく違っていたら、そこのナンバー2は務まりません。

したがって、通常は監督が変わるとコーチ陣も入れ替わります。とくにヘッドコーチは、監督の考え方を完全に理解し、自分のものにしてしまうほどわかっていることが前提なのです。

牧野さんがすごいのは、まだコーチによるマネジメント・システムが整っていなかった時代に早くも、「トップの考え方を理解する」ことが、ナンバー2の仕事の第一であることを見抜いたところです。そのうえさらに、いい加減なところで「こんなものだろう」と妥協することなく、徹底的に理解しようとしたところです。

会社も「戦う集団」という点では、プロ野球のチームと同じです。

ナンバー2は、トップの考えや考え方を知り抜き、それを自分のものにしてしまうほど理解しなければなりません。

そうでなければ、トップの考えた目標や戦略を正確に下に伝え、それをしっかり理解させて、確実に実行させることは難しいでしょう。さらにナンバー2が、現場における問題解決をある程度裁量できるのも、またそのことをトップから期待され、任されているのも、トップと考えが一致しているという前提があるからです。

もし一致していなければ、トップは安心して業務を任せられません。

トップと違うことを考えるナンバー2に、業務執行を任せていたら、会社はいずれ軋みを発しはじめます。たとえば、社長が直接指導している営業部門と、ナンバー2が指導する製造部門では品質に対する考え方にズレがあり、ことあるごとに対立している。あるいは売上げが落ちてきたので社長が店舗を回ってみたら、販売員の接客態度も、お客さまに勧める商品も、自分の方針とまるで違っていたなどということが起きてきます。
会社に「二つの考え」はいらないのです。
ナンバー2の心得①がこれです。

・トップの考え方を徹底的に理解せよ。

二人の考え方が一致していると、会社に一本筋が通ります。頭と手足の筋肉を結ぶ神経が太くなる。ナンバー2の指導力や統率力が格段に増して、現場がナンバー1の思い通りに動きはじめるのです。

販売員がお客さまにかける声の一つひとつまで、トップの考えが浸透している。販売と開発、製造が同じイメージを持って仕事に取り組んでいる。これが、じつは会社の底力であり、全社一丸になるということです。

それはナンバー1の考え方をナンバー2が徹底的に理解し、それを自分のものにすることからスタートします。

No.2 会社の根本理念を語り合い共有する

藤沢武夫さんのような、天才的なナンバー2でもそれを徹底的にやっています。本田宗一郎というトップを理解し、その考えを知るために最大限の努力をしているのです。平凡なナンバー2には、おそらく想像もつかないほどの努力です。

とくにはじめのうちは、徹底的に話し合っています。ホンダには「あの二人は1日24時間のうち、20時間は話し合っていた」という伝説が残っているほどです。一緒にヨーロッパ旅行しながらでも、いろいろと意見を交わしました。

だからこそ、二人のあいだに「阿吽《あうん》の呼吸」が生まれます。相手に聞かなくても言わんとしていること、考えていることがわかる。本田・藤沢の絶妙なコンビネーションは、単なる偶然や天の配剤ではありません。互いに理解し合う努力を惜しまなかった、そういうところから生まれたのです。

そんな努力もしない人間に限って、「あいつは何もわかっていない」とか「しっかり指示してくれない」とか、逆に「言わなくてもわかるだろう」「同じように考えているはずだ」などと、甘いことを思っているのです。

夫婦だってそうでしょう。「アイ・ラブ・ユー」と日に何度も口にしていれば、幸せな家庭が築けるわけではありません。それ以上に大事なのは、目指す家族像や幸福観、子育ての方針など基本路線が、夫婦で一致していることです。

そして、二人の男女の考えを一致させるには、「愛し合っているからわかるだろう」や「あいつなら賛成してくれるはずだ」「あの人の言う通りにしていれば大丈夫だ」というのでは、絶対にダメなのです。

しゃべり合う。語り合う。

テレパシーという便利な能力が備わっていない私たちには、本田・藤沢コンビ同様、それ以外の方法は今のところありません。

確かに、本田さんと藤沢さんがタッグを組んだ頃に比べて、あらゆるものごとのスピードが増した現在、1日20時間も毎日語り合う暇はないかもしれません。しかしとりわけ最初は、それを最優先させよと私は言いたいのです。

いったん理解が成立すれば、あとは個々の問題を詳しく論じ合う必要はありません。ですから、かえって時間の節約になります。

もちろん、細々《こまごま》としたところまで考えを一致させるのは不可能であり、その必要もありません。松下電器の高橋荒太郎さんはこう言っています。

「私は具体論では自分の考えをずいぶん言いました。相談役（松下幸之助―当時）と意見が違うこともあったが、同じ経営理念に立っているので違いは小さなものでした。小さく対立しても大きく調和していました」

皆さんの場合は、どうでしょう。

最も基本である経営理念について、話し合ったことがあるでしょうか。どういう会社をつくりたいか。なぜ会社経営に携わるのか。どんな経営を目指すのか。将来、どんな事業をしたいのか。そのために今、何をしなければいけないのか。

きれい事や建て前の話ではありません。

じつはそれこそ販売員の言葉の一つひとつに宿り、販売員をイキイキとさせ、彼女が手にする商品まで輝かせる「会社の魅力」になるのです。従業員の旋盤のキレをよくする「心意気」の源なのです。

ですから本田・藤沢コンビのようにあらゆることを話す時間がなければ、まず会社の理念を語り合い、一緒に「社是」をつくってみてください。

・会社の理念について、トップとナンバー2で話し合ったことがありますか？

今は、経営難で理念どころではないという経営者もいるでしょう。

だからこそ語るのです。

会社経営の意味や意義を再確認することで、「潰れるのではないか」というプレッシャーとは違った、もっと底力のあるモチベーションを目覚めさせるのです。

私は常々、成功には「夢を語る友」が必要であると言ってきました。なぜなら夢は、語ることで強化されます。それに共感し、賛同し、応援してくれる友は、自信と勇気を与えてくれます。ですから夢は、心の奥に秘しておくものではありません。夢は、それを語ることで大きなエネルギーを与えてくれる装置なのです。

会社を成功させるには、会社の夢や理念を語り合えるナンバー2が必要です。

ナンバー1とナンバー2が同じ夢を見ている。そんな会社は、発揮するエネルギーが、そうでない会社とはまるで違ってきます。

・ナンバー1が自信を持って、「前へ進む力」を発揮できる

・ナンバー2が自信を持って、社員を統率できる

・社員の目的意識、モチベーションを誘導できる
社長と同じ夢、同じ考えを持ったナンバー2が陣頭指揮に立っている会社は、社員みんなが同じ夢に向かって仕事できるのです。

そんなナンバー2が、トップにとっていかに大きな力になることか。

トップとして日々苦労している皆さんなら、よくおわかりになるでしょう。

No.2 「自分の美学」ではなく「男の美学」を持つ

プロ野球では、監督に次ぐナンバー2はヘッドコーチであると前に言いました。けれどいざ試合本番となり、選手が守備に就くとコーチでは間に合いません。「守備のカナメ」であるキャッチャーが、守りのナンバー2です。こういうキャッチャーという仕事を徹底的に極めたのが、捕手出身の名監督・野村克也さんでした。

野村さんは、ナンバー2としてのキャッチャーの役割をこう表現します。

「捕手は監督の分身である」

分身というのは、体は別々でも頭の中は「完全一致」であるということでしょう。

味方の選手に守りを指示するときも、また相手の打球や走塁に自分の体がとっさに反応するときも、指揮官である監督の考えと100%一致していなければならない。それが「監督の分身」という意味です。なぜならキャッチャーは、「監督の仕事の一部を担っている」(『あぁ、監督』野村克也著/角川書店)存在だからです。

たとえば、ノーアウト2、3塁で、次はホームランバッターを迎えるという大ピンチ。監督は「満塁策を取って、敬遠だ」と考えている。それなのに、「ピッチャーの調子がいいから、ここは勝負させよう」というのは絶対ダメです。結果的に三振を取っても、監督の仕事の一部を担っている「監督の分身」としては失格です。

「敬遠なんかしたら、お客さんもつまらない。見せ場をつくり、お客さんを喜ばせるのがプロだ」「敬遠のような卑劣なマネをするぐらいなら、むしろ切腹するほうがいい」という価値観の持ち主であっても、勝負させてはいけません。

キャッチャーが自分の判断で指示しはじめたら、チームに監督とキャッチャーという二人のトップが存在することになってしまうのです。

当然、組織的な作戦遂行は難しくなり、組織は崩壊状態に陥ることになります。

ナンバー２は、個人的な見解や価値観は、たとえそれがどんなに素晴らしいものであっても、場合によっては捨てなければなりません。

・「自分の美学」を捨てよ。

これがナンバー２の心得②です。

自分の考えや価値観を捨てて、ナンバー１に従う。

これほど難しいことはありません。つい自分が出てしまう。そこそこのナンバー２はたくさんいますが、「優秀」と言えるナンバー２がきわめて少ないのはそのためです。

優秀なナンバー２になるかどうかの分かれ目が、そこにあります。

ご存じのように源義経は、源氏のナンバー２でした。兄であり、源氏の総大将である頼朝の代理として平氏追討軍の総指揮を任され、連戦連勝の末、敵を壇の浦まで追い詰めて攻め滅ぼします。おそらく戦の天才だったのでしょう。別の言い方をすれば、戦術家としてきわめて高い保有能力があったのです。

しかし保有能力の高い人間が、ナンバー２として優れているとは限りません。そこを誤解しているトップがたくさんいますが、仕事能力の高い人間は、経験則としてはむしろナンバー２に向いていないことが多いのです。

その代表が義経です。

日本人なら誰でも知っているように、やがて兄、頼朝に追われて東北へ逃げ、最後は自分を庇護してくれた藤原氏の裏切りで自殺する、悲劇の主人公です。

それにしても血を分けた弟であり、有能な武将であったナンバー2を、なぜナンバー1の頼朝は、敢えて殺さねばならなかったのでしょうか。

兄弟離反のきっかけは、義経が頼朝に無断で朝廷から、平氏追討の褒美として官位を受けたことでした。また武将としてのおのれの能力を誇るあまり、独断専行が目立ち、さらになお源氏の勝利を自分一人の手柄であるかのように吹聴したことも、兄の信頼を裏切ることになったというのが一般的な見方です。

ナンバー1の多くは、自分の分身であるナンバー2が「成果を上げるのは当たり前」と思っています。にもかかわらず図に乗って、自分の実績を自慢し、無断で官位などをもらったりすれば、ナンバー1の怒りを買うことになります。

番頭であるナンバー2は、あくまで黒子です。

脚光を浴びない縁の下の力持ち。自分がオモテ舞台に出て、ナンバー1以上に脚光を浴びることはしないという覚悟が必要です。

もちろんＭＢＡ流のマネジメント理論には、こんな心得は出てきません。しかしトップ二人の関係をスムーズにし、心を一つにし、最高のコンビネーションで会社経営を成功に導くには、絶対に忘れてはいけない心得なのです。

義経の一番の失敗。それは兄のビジョンを理解しなかったことです。

武家政権の樹立を目指す頼朝にとって、恩賞を与えるのは武士の棟梁たる自分の役割です。ましてや武家政権など絶対に阻止したい朝廷から、勝手に官位を受けるのは、滅んだ平氏と同じ貴族化の道をたどることにほかなりません。義経は、本邦初の武家政権創出という、ナンバー１の画期的なビジョンを共有できなかったのです。

それは関東の田舎武士の中で成長した、根っからの武人である頼朝と、王朝政権の付属品だった京の寺院や、「みちの奥」に絢爛たる文化を誇った藤原氏に庇護され、貴族的な気分を身につけた義経との、決定的な違いでしょう。朝廷に任官することがなぜ兄の怒りを買うのか、おそらく義経は最後までわからなかったと思います。

ですから一度ならず二度までも、朝廷のご褒美を受け入れてしまいます。ナンバー１の考えを理解するより、手柄を立ててはしゃいでしまったお調子者だった、と言ったら世の牛若丸ファンに嫌われるでしょうか。捕虜である平時平《たいらのときひら》の娘まで娶《めと》ってしまったとなれば、いくら判官びいきの人でもそう思わざるを得ないでしょう。

結局、義経は、天皇を頂点とする貴族社会で認められ、そこで成功することに大きな価値を感じるような、自分の美学を最後まで捨て切れなかったのです。

ナンバー1の考えを理解し、その分身に徹する。

兄弟であっても、それがいかに難しいことであるかを義経の悲劇は物語っています。

今日でもトップとナンバー2のあいだには、似たような問題が起こります。ナンバー2が自分の価値観や美学を捨てられない。そこから意見の対立や方針の違い、感情的な行き違いが生じてくるのです。

ガツガツ稼ぐのが目標で、多少はきわどいことをしてもいい。いや、きわどいことの一つもしなければ、大きく稼げるはずはないと考えるトップ。それに対し、そこまではやりたくない、自分の倫理感が許さないというナンバー2がいます。

どちらが社会的に正しいかは別にして、ナンバー2がナンバー1と違った価値観を持っている限り、会社は大きな力を発揮できません。

組織のナンバー2としては、明らかに失格です。会社という生き物をたくましく育てるには、自分が考えを変えるか、社長に考えを変えてもらうかしかないのです。

たいていはナンバー2が会社を飛び出し、独立することになるでしょう。

ナンバー2が用意周到に策略をめぐらせば、「社長解任」という事態も起こり得ます。

成長すべき会社にとって、それぐらい大きな打撃はありません。

最初に「ナンバー1の考え方を徹底的に理解し、それを自分のものとせよ」と言いました。もしナンバー2が自分の美学を捨てられないと、それも不可能です。

・自分の美学を捨てているか？

もしあなたがナンバー2であれば、一度は自分に問わなければいけません。

もっと具体的に言えば、「自分が成功することより、トップを成功させることに夢中になれますか？」ということです。

この覚悟がない人はナンバー2に向かない。ナンバー2になってもうまくいくことは非常にまれです。だからナンバー2が交替する企業も少なくないのです。しかしナンバー2の交替は、企業の成功スピードを大幅に遅くします。有能な社員を引き連れて出て行ったなどということになれば、会社の力は間違いなくダウンします。

ということであれば、私たちが自分の美学を捨てるにはどうしたらよいのか。

簡単です。自分の美学でなく、「男の美学」を持てばいいのです。

No.2

「男の美学」を生き抜く覚悟が重要となる

夜、ぼたん雪がしんしんと降りしきる中、着流し姿で、たった一人傘をさし——こうもり傘ではありません。番傘を右手、左手に長ドスをつかんで、恩義ある親分の仇打ちに向かう高倉健さん。遠ざかるその背中をうるんだ大きな瞳で見つめているのは、トンビが鷹を生んだような、親分の美しい一人娘です。

「男の美学」というとどういうわけか、昔、東映の任侠映画で見たような、こんなシーンが浮かんでくるのは私だけでしょうか。

誰か（何か）のために、おのれを犠牲にする。

究極の男の美学と言っていいでしょう。

ここで話は少し脱線しますが、男の美学のキーワードは「**承認欲求**」です。

社会的な動物である私たち人間にとって、他人に認められることは大きな喜びであり、誰でも心の中に「認められたい」という根源的な欲求を持っています。

たとえば、一生懸命勉強して有名な学校に入ろうという志望にも、「すごい！」「頭がいい」と評価されたい欲求が混じっています。

高校時代は勉強などそっちのけで、ひたすらケンカの腕を磨いていたような人でも、その動機付けとして「強い！」「カッコいい」と思われたい、あるいは思わせたい欲求が間違いなくあったはずです。

心理学では、それを「承認欲求」と言います。

社会的に成功しよう、リッチになろうという希望も、根っこのところはそれと変わりません。「すごいやつだ」とみんなに評価され、尊敬を集められたら最高に幸せでしょう。

心理学的にはエルメスのバッグも、シャネルのドレスも、モヒカン刈りも、東大合格もみんな同じです。人から認められ、肯定されたいという欲求です。

人から認められて、はじめて自分を認められる。

人に肯定されて、やっと自分自身を肯定できる。

これが社会的動物である人間なのです。

だから私たちは、黒子のような役はあまりやりたくありません。人に認められない縁の下の力持ちより、人目につく主役になりたい。オモテ舞台で活躍するほうがカッコいいという、自分の美学をなかなか捨てられません。

ナンバー2としてトップを立て、自分は裏で苦労する補佐役に徹することができない。何だか損しているような気持ちさえしてくる。

仕事能力の高い人ほどそうでしょう。

雪の中を修羅場に向かう健さんは、そんな私たちに一つのことを教えてくれます。もう一つの美学があるということです。

「**自己犠牲**」という美学です。

たぶん健さんが向かう場所には大勢の敵が待ち構えていると思います。待ち構えているはずです。私が昔見た映画は、みんなそうでした。生きて帰れるという見込みはない。しかし渡世の義理を果たすために、死を覚悟で出かけていく。安っぽいヒロイズムと言えば、その通りかもしれません。

しかし番傘をさし、胸を張って死地に赴く健さんの着流し姿にシビれてしまう感性、カッコいいと感じる価値観が、私たちの中にあるのも事実です。

むろん私は、渡世の義理人情の話をしているわけではありません。

カッコよさの話です。

人が自分を肯定するには、まわりの人に認められ、評価されることが必要でした。それが承認欲求の意味です。

しかし、一つだけ例外があるのです。誰にも知られず、誰にも認められないけれど、自分を肯定的に評価できるケースが一つだけあります。

それが健さんなのです。つまり、親分のために自分を犠牲にすること。

自分のための行動には、他人の評価が必要です。ところが、誰かのために行動するときは、他人に評価される必要がないのです。

たとえば、臓器提供する人が、それによって「あの人は偉かった」と評価されたいとは思っていないでしょう。たいていは人に知られることさえありません。自分が提供した臓器によって、誰かが苦しみから救われる。その人を生かすことで、自分自身も生かされる。そこに幸せを感じ、自分の人生を、自分の死さえ肯定できるのではないでしょうか。

ナンバー2の美学もそれと同じです。

ナンバー1を補佐し、ナンバー1を成功させることで自分も成功できる。人を大きく生かすための努力が、自分を生かすことにもなる。

それを「男の美学」と言いました。

どうして「男」なのかと言うと、女性にはとてもできないような、すごいことだからではありません。女性には、そんなことは美学でも何でもない、大昔から平気でやり続けてきた当たり前のことだからです。

子供を育て、夫を支える。自己犠牲なくして、なし得ることではありません。しかもぼたん雪も番傘もいらない、ごく日常的な行為です。

まあ、私などはとてもできない、そのすごさはさて置き、とりあえずここは「男の美学」ということにしておいてください。男というのは、美学なんてものがなければ、背中を伸ばして歩くことさえ難しい動物なのです。

ナンバー2になるような人は、きっと有能な人だと思います。仕事に関する保有能力という点では、ナンバー1に勝る人もいるかもしれません。

だからこそ、自分たちの会社を成功させたいなら、男の美学を生き切ってやろうという覚悟が必要なのです。

No.2 会社を成功させたければナンバー1に惚れる

ナンバー2には「自己犠牲」が必要であるという話をしました。そのせいで私は、フェミニストと呼ばれる人たちを敵に回してしまった可能性が大いにあります。いい気になって、「女性にとって自己犠牲は当たり前のことだった」などと書いたからです。「女は、男のナンバー2なんかではない。自己犠牲は男が女に強いてきたものだ。西田くんは、女性差別主義者なのね」と、お叱りを受けるかもしれません。

差別なんて、とんでもない話です。

弁解させてもらいましょう。私は、女性が男のナンバー2だなどと言っていません。最初にも述べたようにナンバー1とナンバー2は、力比べの1位2位でなく、集団における役割です。役割ですから交換可能です。

実際、それでうまくいっている家庭はたくさんあるし、奥さんが社長で、ご主人がナンバー2として頑張っている会社も少なくありません。

ただ封建的な家族制度の中で、女性に家庭のナンバー2として、自己犠牲を強いてきた歴史があったことも事実です。

自己犠牲には、じつは二つの種類があります。

一つは、自分から進んで、その役割を引き受ける積極的自己犠牲。もう一つは、強要されたり、強要されなくても義務感から、仕方なくするような消極的自己犠牲です。

積極的自己犠牲は自分で選んだものであり、多くの場合、そこには「自分が誰か（何か）の役に立っている」という喜びがともないます。

しかし消極的自己犠牲になると、そこにあるのは我慢です。まったく同じことをしても苦しみしかありません。ですから強いストレスが発生するのです。

赤ちゃんを抱っこし、満ち足りた眼差しを受けとめながらおっぱいをあげることに無上の喜びを感じる。そんな人には、育児にともなうさまざまな苦労も積極的自己犠牲でしょう。しかしその喜びを感じない、あるいは苦痛のほうが大きいという人には、授乳も煩わしいだけで、ストレスばかりが高じる消極的自己犠牲になってしまいます。

ご存じのようにストレスとは、外から何かの力を加えられたときに生じる内側（心と体）の歪みですから、ひどくなると精神的な疾患、また肉体の病気も出てきます。

だから会社でも家庭でも、強要はいけません。

「おれがトップだから、おれの言うことを聞け」「トップに口答えするのか」「ナンバー２のくせに生意気だ」「言われたことを黙ってやっていればいい」……自己犠牲を強いるなんて、会社でも家でもなんとカッコ悪いナンバー１なのでしょうか。

これが続くとだんだんストレスがたまってきます。それが不満や反発になり、最後はナンバー２から離婚を言い出されたり、辞表を叩きつけられたりしてしまうのです。

あるいは解任動議の発議だったりします。

何のことをお話ししているか、おわかりでしょうか。

今、私は社長さんたちに相当厳しいことを申し上げています。

つまりナンバー１は、ナンバー２が喜んで犠牲を払ってくれるような、魅力ある人間でなければいけないということです。

ナンバー２に惚れられるぐらいでなければダメだ、ということなのです。

勢いがあって大きく発展する会社と、一時的な勢いだけで失速してしまう会社。どこが一番違うかと言うと、ナンバー２の働きだという話を前にしました。けれど、どうしてナンバー２の働きがそんなに違うのか。それはナンバー２が、ナンバー１に惚れているからであり、惚れているナンバー1のために本気になるからです。

健さんだって、死んだ親分に惚れていたのです。

男が男に惚れる。美しいお嬢さんには恋していたかもしれませんが、その恋を捨てて仇討に行くほど惚れていたのです。

「いい加減なことを言うな」とおっしゃる人がいるかもしれません。

「ビジネスはもっとクールなものだ。勝ち組になるか負け組になるかという、真剣勝負の世界だ。そのためには考え尽くした、冷静な戦略が重要なのだ。惚れたの、愛したのなんて、ふざけた話はやめてくれ。何が健さんだ！」

ふざけたつもりは毛頭ありません。ぼたん雪や番傘は、確かにやりすぎだったかもしれませんが、まあ、それは一種のレトリックというやつです。

実際にイヤらしい意味でなく、「男が男に惚れる」ということがあります。真剣勝負の世界だからこそあるのです。さらに、ナンバー1とナンバー2が惚れ合っているほど、強力な経営者タッグになり、大きく成功しやすいのもまた事実なのです。

「私だって、本田がいろいろなことをやっているのを、『なにいってんだ』と思うときがあります。しかし、いずれにしても、根底では二人は愛しあって、理解しあっていた。

『これ以上はないという人にめぐり会えた』という気持がすくなくとも私のなかにはある」

こうなったら自己犠牲という言葉さえいらないでしょう。

また、トヨタの礎を築いた天才発明家・豊田佐吉翁の大番頭であり、他社のトップである松下幸之助さんに「あの人にだけは頭が上がらない」と言わしめた石田退三さんも、親分に惚れたナンバー2でした。

「うちの社長は変人だけど偉いんだからおれが支えてやらんとどうにもこうにもならん」

「ひとつ本気で助けてあげねばならん」

大成功者の条件は、ナンバー2に惚れられることです。

逆に言えば、ナンバー1を大成功させるには、ナンバー2がナンバー1に惚れればいい。

私はそう確信しています。

ですからナンバー2の心得③はこうなります。

・ナンバー1に心底惚れよ。

しかし男を惚れさせる魅力を持つことは、難しいというのも確かでしょう。女性が相手なら心理的なテクニックで惚れさせることができます。しかし、男は違います。なぜなら男女の場合と違って、そこに欲望とか利己的な願望がないからです。

だから大成功者が少ないのです。一人で必死に頑張って、そこそこ成功するか、大きな成功を手に入れても、たちまち失脚してしまうケースが多いのです。

ですからナンバー2の心得④は、次のようになります。

・どうしても惚れられなければ、尊敬せよ。尊敬もできなければ、せめて好きになれ。好きになることもできなければ、仕方ないから形だけでもナンバー1を立てろ。

No.2 ナンバー2は形だけでもトップを立てる必要がある

余談になりますが、「お袋は親父のことをどれぐらい愛していただろうか」と考えることがあります。二人とも故人になってしまった今は、もう確かめようがありません。ただ覚えているのは、お袋は、親父のことをとても尊敬していたことです。

いいえ、そんなフリをしていただけなのかもしれません。

今になって客観的な目で見ると、親父は決して特別エライ男でも、大人物でもありませんでした。どちらかと言うと、平凡な親父だったと思います。

しかし子供の頃の私は、父親をこの世で一番立派な、尊敬すべき「男の中の男」と思い込んでいました。ちゃぶ台の前に座って、お袋に用を言いつけながら晩酌する姿など、後光が差して見えるほどでした。

なぜそんなに尊敬していたかと言うと、お袋がことあるごとに、「お父さんは偉い」「誰よりも偉い人だ」「すごいねえ」「お父さんのおかげでこうしてご飯がいただける」と、幼い私の心にいつも刷り込んでいたからです。

大好きなお袋がこれだけ尊敬しているのですから、最高の大人であるに違いありません。そんなすごい人の子供であることを誇りに思いました。

お袋の言葉が、ウソだったとは思いません。ただ昔の女性の常として、一家の長である夫のことは、形だけでも尊敬しなければいけないという気持ちがあっただろうと思います。そうでなければ、あれだけオーバーに褒め上げるなんてことはできないでしょう。

しかし形だけにせよ、家のナンバー2が、親父というトップを立ててくれたおかげで、家庭内には安定した秩序が生まれました。父親の下に家族が寄り添うことの安心感や、家を「居場所」と感じられる安らぎの中で、私も子供時代を送りました。

世の中にはときどき子供の前で平気で父親をバカにしたり、蔑ろにしたりする母親がいますが、とくに男の子にとっては、「否定的な父親像」を持つことは非常に不幸なことなのです。と言うのも男の子には、父親こそ将来の自己イメージであるからです。「お父さんはしょうのない人だ」「甲斐性なしだ」「だらしない」「思いやりがない」「お父さんみたいになったらどうするの」……。

これでは大人になるということ、あるいは結婚して家庭を持って子供を育てるということが、素晴らしいことと思えなくなるのも不思議ではありません。

だいぶ脱線しましたが、「母親」という家のナンバー2を通して、私が言いたかったのは、「形」が大切であるということです。ナンバー1に対しては、ウソでもいいから形だけでも、尊敬や敬意をあらわしたほうがいいということです。

なぜなら、たとえウソでも繰り返し繰り返し表現していると、それがいつの間にか本当になってしまうという、**「ウソから出たまことの法則」**があるからです。

人間の脳はコンピュータと同じように、データのインプット（入力）とアウトプット（出力）によって動いています。Aというデータを繰り返し入力していると、Aというデータが事実と違っていても、私たちの脳はAを真実であると思い込んでしまい、今度はデータAを事実として出力しはじめるのです。

教育学ではすでに、教師に「頭がいい」と暗示され続けた子供は、実際の成績も良くなることが実験によって証明されています。これも「頭がいい」と繰り返し入力されているうちに、だんだん頭がいいと思い込み、勉強が好きになり、勉強するようになり、それで成績も上がってしまうのです。

だから心得③「ナンバー1に心底惚れよ」の変化球として、心得④「どうしても惚れられなければ、尊敬せよ。尊敬もできなければ、せめて好きになれ。好きになることもできなければ、仕方ないから形だけでもナンバー1を立てろ」があるのです。

形だけでも立てているうちに、だんだんそれが現実になってくる。「ウソから出たまことの法則」に期待しようということです。

仮に法則通りにいかなくても、ナンバー2は形だけでもナンバー1を立てなければなりません。その理由は、社員みんながナンバー2の後ろ姿を見ているからです。私が、親父に尽くすお袋の姿を見ていたように、みんなが見ています。

ナンバー2が本気でナンバー1を尊敬し、立てている。

その後ろ姿を見ているだけで、「社長はやっぱりすごいんだ」という思いが社員の心に湧いてきます。それが会社のエネルギーになる。「この社長のために頑張ろう」「ここは親父のために踏ん張ろう」。

とりわけここ一番の大勝負のときに力になるのは、頭でっかちな戦略や小賢しい戦術以上に、じつは社員のそんな気持ちです。

No.2 小利口なナンバー2ほど始末に悪いものはない

ナンバー2には絶対に向かない人がいます。

どんな人かと言うと、小利口な人間です。

「いや、それより無能な人のほうがずっと向いていないだろう」と思うかもしれません。けれど無能な社員が会社のナンバー2になることは、まずないでしょう。ですが小利口な社員の場合は、むしろナンバー2になりやすく、実際多くの会社が、よせばいいのに、喜んでそういう人をナンバー2のポジションに据えています。

「小利口」というのは、〝ちょっと利口〟という意味ではありません。

少しばかりの才能を鼻にかけ、「利口ぶっている」ことを言います。

利口と利口ぶる。似ていますが、まったく違います。

状況によっては、バカになることもできる。それが利口です。必要ならアホにだって平気でなれます。しかし小利口の場合は、とてもそんな芸当はできません。利口であることをひけらかしたくて、つい利口ぶってしまうからです。

このことは、頭のいい女性にも言えることです。どんなバカな父親であっても、「あなたのほうが偉いわよ」と腰を低くし、相手を立てるという技を知っているのが頭のいい女性です。

それによって家庭内が丸くおさまる。そのほうが子供の教育上もよろしいし、お皿が空を飛んで割れることもないだろうという、「近未来」をわかっているからです。

頭が良くなければ、今の自分の言動が、未来にどんな結果をもたらすかを冷静に判断できません。さらにより良い未来をつくり出すという観点から、より効果的な言動を選択し、迷わず実行することなどできないでしょう。

ところが、小利口は違います。そういう未来志向的な、戦略的撤退ができません。自分のほうが正しいと、どこまでも言い張る。そのために子供が泣こうが、夫が暴れようが関係なしに、自分が正しい、自分のほうが利口であると主張し続ける。

しかし家庭は、裁判所ではありません。正しいかどうかはあまり重要でない。家族が仲良く暮らすことのほうがはるかに大事なのです。そこの見極めがつかない小利口な人間は、男でも女でもナンバー2には向かないのです。

戦国時代にも大きな才能を持ちながら、小利口であるがために天下人のナンバー2になりそこねた武将がいました。

豊臣秀吉の軍師として有名だった黒田官兵衛です。あまり馴染みのない名前かもしれませんが、「黒田節」で知られる黒田藩の藩祖であり、本能寺の変のあと、秀吉が大軍を率いて短時日で岡山から駆け戻った、「中国大返し」を実際に取り仕切った人物です。

「私がいなければ天下を取るのは官兵衛であろう」

秀吉をしてそう言わしめるほどの、バツグンの才能の持ち主でした。

しかもこの人は、秀吉のために多くの犠牲を払っています。中国の覇者・毛利氏と戦うために秀吉が進軍してくると、自分の居城である姫路城を差し出します。自分が家老として仕えていた主家を無視し、むしろその意向に反して秀吉のために行動しました。

自分と同じキリシタン大名が反乱を起こすと、頼まれたわけでもないのに自ら説得に行って捕えられ、長期間牢につながれて足の自由を失いました。

こんな犠牲を払っても、秀吉には信用されなかったのです。

官兵衛の自己犠牲が、純粋な「愛」ではないと秀吉は気づいたのでしょう。「天下を取るのは官兵衛であろう」という言葉も、じつは褒め言葉でなく、官兵衛に対する秀吉の恐れであり、けん制だったと言われます。

では、官兵衛がどのように小利口だったのでしょうか。

前にも述べましたが、信長の死が秀吉に伝えられたとき、その場に居合わせた官兵衛は、茫然自失している秀吉の耳もとで「天下をお取りなされ」とささやきます。まさに策士です。何ごとがあっても、まず策略が頭に浮かんでくるのでしょう。

関ヶ原の戦いのあと、徳川家康が官兵衛の息子（長政）を呼んで、東軍に味方してもらったことに感謝したことがあります。

家康のもとから戻った息子に、官兵衛はこう言います。

「家康殿は、おまえをそばに呼び、おまえの手を握って礼を申されたのだな。ならば、おまえの片手が空いているであろう。なぜその手で刀を抜いて、斬り殺さなかったのだ。そうすれば天下を乗っ取れたものを」

どんなもんだと、おのれの知恵を得意がっているように聞こえます。

もっと言えば、秀吉に頭を下げながら、内心では「おれの実力はすごいんだ」「ナンバー2で終わる人間じゃない」と思い続けていたのが黒田官兵衛だったのでしょう。

ナンバー2は、どこかで自分を捨てて、頭のいいバカになる必要がありますが、バカになり切れなかったために、秀吉という大成功者の心はつかめなかったのです。

ヒューマンスキルが高くて、相手の本質を見抜く秀吉だったから、官兵衛の知恵は利用するだけ利用しても、信頼してナンバー2的な、重要ポジションに置くことはありませんでした。

残念ながら現代の一国一城の主である社長さんには、秀吉ほどの人物眼を持っている人は少ないようです。

まわりをちょっと見渡すだけでも、わずかばかりの才能や知識をひけらかし、「社長より、おれのほうが優秀だ」「おれがいるから、この会社は持っている」と内心思い込んでいるような、困ったナンバー2がいくらでもいます。

ナンバー2の選び方は、次章に書きましたが、「仕事ができるから」「売上げがダントツだから」「東大を出た有能な人材だから」「アメリカでMBAを取得しているから」「親会社の部長だったから」……。こうした理由でナンバー2を選ぶと、黒田官兵衛のような、ナンバー2になり切れないナンバー2になりやすいのです。

黒田官兵衛型のナンバー2はこうです。

・どこまでもついていく覚悟がないので、本当にピンチのときは当てにならない

・引き抜かれたり、裏切ったりしやすい

・不満があると仲間を集めて徒党を組む

・真剣に相談しても、腹では何を考えているかわからない

こういうナンバー2を見分ける方法をお教えしましょう。私がたまに使う手ですが、「御社は○○さんがいるから大丈夫ですね」「○○さんで持っているようなものですね」と、本人に水を向けてみるのです。

「いやあ、私なんか」と言いながら、まんざらでもない顔をしたら要注意です。

「まあ、そうですけれどね。私の苦労など誰もわかってくれなくて」といった反応が返ってきたら、もうレッドカードです。

ナンバー2の心得⑤として言えば、こうなります。

・愚直であれ。とことん愚直であれ。

思い上がりを捨てて愚直になれば、もっと大きな力が湧いてきます。大きな力が湧いて

くるとは、スーパーマンのように特別な力が出てきて、どんな難しいことも簡単にこなしてしまうということではありません。

努力できるようになるということです。

縁の下の力持ちらしく、誰に知られなくても愚直に努力できる。非凡な努力を愚直に続けていくことがカッコいいと思えなければ、優秀なナンバー2にはなれません。

No.2 ナンバー2は誠実なイエスマンを基本とする

心得⑥です。

・**大いなるイエスマンであれ。**

意外かもしれませんがナンバー2は、基本的にイエスマンです。「意外かもしれない」というのは、イエスマンは好ましくないものであり、イエスマンにはなるなと私たちはあちこちで言われてきたからです。

イエスマンとは、上司や先輩のご機嫌を取ろうとして、相手の喜びそうなことしか言わない人間です。当然、耳障りな話は伝えません。その結果、正しい情報が伝わらず、データが偏ってしまうために判断を誤らせることになる。だからイエスマンはいけないということを、世間ではよく言います。

本当でしょうか。本当にイエスマンはそんなにいけない存在なのでしょうか。

いけないのはトップが、自分のまわりに「ごもっとも」「おっしゃる通り」を連発するような、無責任なイエスマンを取り巻きとして集めることです。残念ながらトップのまわりには、自然とそんなイエスマンが多くなるものです。

しかしイエスマンがみんな上司に何とか取り入ろうとする、さもしい心の持ち主であるかと言えば、必ずしもそうではありません。

上司にゴマをすり、取り入ろうとするイエスマンもいるでしょう。けれど一般的なイエスマンには、そんな積極性はないように見えます。

私たちは、自分が思っている以上に権威に弱いのです。自分より立場が上の人間に対して、反論したり、反対したり、また疑問を投げかけたりするのは、そうでない人が相手の場合より、ずっと大きなストレスを強いられるのです。

簡単に言えば、「ノー」と言うのは面倒なのです。

また、わざわざ反対意見を述べて、「目上の人間に対して批判的である」とか、「否定的なことを言うネガティブ思考の人間である」とか、「意欲が乏しい」などと思われるのもイヤなのです。

だから、十分注意してください。どんな小さな組織のトップでも、まわりの人間をそういう消極的なイエスマンにしてしまう「力」を持っているのです

確かにイエスマンは危険です。いけないのでなく、危険なのです。

誰も「ノー」を言わず、「待った！」もかけない。みんな面白いように自分の言いなりになる。何を言っても、「その通りです」「さすが社長」「サイコーです」。それが当たり前になるとたいていの人間は、「自分はいつも正しい」と錯覚し出すのです。

これがじつは破滅の入り口です。

本書の冒頭で「会社を潰すのは社長であり、発展させるのがナンバー2である」と言いましたが、「会社を潰す社長」の第一のタイプは、「自分は正しい」と錯覚してしまった経営者です。自分は正しいと思った瞬間、思考は停止します。

思考停止。

ビジネス状況があまりに早く変化する、今日のような時代の会社経営において、何が最

も必要かと言うと、柔軟性です。

俊敏な動物のように、状況変化に素早く対応する柔軟性。それを奪ってしまう思考停止ほど危険なものはないのです。

たとえば、「新しいコンセプトでつくったこの店は必ず繁盛する」。これを正しいと信じるあまり、赤字を計上してもコンセプトを変えられず、いたずらに座視して、赤字をどんどん膨らませてしまう。

思考停止に陥ると、もう他人の忠告やアドバイスも耳に入りません。

しかしこの本の読者には、そんな危ない経営者は少ないだろうと思います。

むしろ皆さんが感じているのは、「おれは正しい」という自信より、「間違っていたらどうしよう」という不安ではないでしょうか。

トップは、すべての責任を一人で背負っています。どんな難しい問題も最後は自分一人で決断しなければならない。トップにとって、不安は避けられない宿命です。

現場の社員に混じって楽しく働いていても、同じような年齢の経営者たちと悩みを語りながら飲んでも、ギリギリ最後のところに不安があります。

それゆえに孤独です。

そんなときナンバー2や3から、無責任な「イエス」しか返って来なければ、不安と孤独はいっそう深まることにしかならないでしょう。

そして、それが多くの経営トップの現実です。

だから、「ナンバー2はイエスマンになれ」と言うのです。

無責任なイエスマンではありません。誠実で実直なイエスマン。トップの意図を知り抜いて、そのアイデアをしっかり理解し、「イエス」と共感する。それによって、トップに自信と確信を与えられるイエスマンです。

世間では簡単に「イエスマンになるな」と言いますが、それを安易に信じてトップに反対したり、反論したりすれば、トップとナンバー2のあいだは必ずギクシャクします。何度かそれが繰り返されると、間違いなく二人の関係は危機を迎えます。

確かにナンバー2には、ご意見番としての役目もあります。

しかしそれは、特別なケースと考えるべきです。

通常は、ナンバー1がこうと決めたら、それが正しいとか間違っているというのは、もう関係ありません。トップのアイデアを実現させるために、全力を傾注するのがナンバー2の仕事です。

もちろんご意見番として、どこまでも主張しなければならないこと、なにが何でも止めなければならないことがあります。

コンプライアンス（法令遵守）に関わるケースや、明らかに会社を危機に招くケースは、断固として「ノー」を言い続けなければなりません。

だから、「イエスマンであれ。されどイエスマンになるな」なのです。

お話ししたように、ナンバー2の基本はイエスマンです。それも無責任なイエスマンではなく、誠実なイエスマンです。

また、ここぞというときには「ノー」や「待った！」を言う勇気が必要です。

どうして、わざわざ嫌われたり降格させられたりする危険もあるような、そんなことを敢えてしなければいけないか。

それはあなたがただの中間管理職でなく、ナンバー2であるからです。

ナンバー2であるということは、トップが自分の次に信頼しているということであり、その信頼に応えなければならないのです。

No.2 ナンバー2には無から有を生む役割もある

たぶん1970年代ぐらいまで日本の産業は製造業中心で、高度経済成長期の右肩上がりを支えていたのも大量生産式の産業形態でした。大量生産に適したピラミッド型組織では、トップダウン式に現場を管理し、標準化を行うことで、効率性と生産性を高めるマネジメントがそのまま会社の発展につながりました。

しかし80年頃に、大転換が起こります。

サービス業に従事する人が、製造業で働く人より多くなり、「生産」から「消費」へ、時代のキーワードが変わったのです。

消費者のニーズは多様化し、大量生産の規格品でも満たせた「必要性」から、高付加価値の商品が与える「満足感」へと、ニーズの根本が一変します。

ちなみにアメリカで「顧客満足」という言葉がビジネス用語として登場するのは、80年代のことです。それと一緒に差別化、特異化、高級化、ブランド化などが、まるで成功の

〝おまじない〟であるかのように言われ出します。

どういうことかと言えば、「時刻を知る」という必要性を満たすには、とりあえずどんな腕時計でもかまいません。しかしユーザーに満足感を与えようとしたら、美しさとか高級感、あるいはマニアックな多機能性、用途に特化した高性能、また流行や人気キャラを取り入れたデザインなど、マスとしての消費者ではなく、一人ひとりの消費者の心をつかむような新しい価値＝魅力が求められます。

モノに限らず、サービスも同じです。今よりもっと売上げを伸ばすには、新しい魅力という「無形の財」を加えて、提供すればよいのです。

モノの満足は時間がたてば飽きられるけれど、心の満足は、時間がたっても飽きられないという、リッツ・カールトンホテルの目指す「顧客満足」はその典型でしょう。

もちろん魅力は、大量生産時代にも購買意欲を高める大切な要素でした。江戸時代だって、たぶんそうだったに違いありません。

ただ富裕層を除けば、必要性のほうが差し迫った問題であり、魅力よりはるかに大きな要素だったはずです。「必要」の陰に隠れていた、その「魅力」が、一気に主役の座に躍り出て、購買行動を決定するようになったのが消費社会です。

言い方を換えれば、商売繁盛のカギを握るようになったのです。

さて、ここからが重要なところです。

新しい魅力、新しい価値をつくるのは、機械でも工具でもありません。人の頭の中で生まれるアイデアやひらめきです。

今日のような成熟した消費社会では、画期的なアイデアなしに成功するのは難しいでしょう。着想力や構想力、創造性もなければ、飛躍的に伸びることは不可能です。

逆に言えば、アイデアが成功を手繰り寄せるのです。

私はそれを〝無から有を生ずる〟と言っています。機械なし、工具なし、金もなし。何一つモノのない「無」の中からでも、いえ、「無」の中からこそ、とてつもない成功を生み出せる。それが私たちの生きている時代です。

頭一つで勝負できる、素晴らしい時代だと思います。

今は珍しくなくなりましたが、居酒屋でお客さんの誕生日をお祝いしようというアイデアは、じつに画期的でした。店内の照明が変わる、ケーキのプレゼントがある、ハッピーバースデーの歌と、小さな花火。記念写真の撮影もある。それによって、サラリーマンや学生が酔っ払うだけの場所だった居酒屋に、一大変革が起こりました。

お客さんとフロアスタッフの交流が生まれ、アミューズメントパーク的な楽しい雰囲気もできて、それまであまり縁のなかった、若い女性や家族連れが来店するようになったのです。

従来のマネジメントでは、こうした変革は、ピラミッドの頂点にいる社長の仕事であり、コンセプチュアルスキルの見せ場でした。

もちろん今も基本はその通りです。

しかし実際には、トップ一人では、移り変わりの激しい消費者ニーズに対応するのが、きわめて難しくなっています。対応することはできても、何もないところ（居酒屋）で、新しいニーズ（誕生日を祝ってもらう喜び）を掘り起こすような、果敢な攻めを繰り返すことは不可能です。

だからこそ補佐役としてのナンバー2が必要なのです。

ナンバー2がヒントや手がかりを与えることで、トップのコンセプチュアルスキルを補佐し、強化する。これができれば、会社の「前に進む力」は数段アップします。

No.2 絶えず自分の脳に問いかけてアイデアを出す

ホンダを「世界のホンダ」に押し上げたのは、1958年に発売された排気量50ccの小型オートバイ「スーパーカブ」でした。今でも郵便の集配や新聞配達、そば屋の出前などに用いられているのは、ほとんどこのバイクです。

だから、皆さんもよく知っている「名車」です。

シリーズの現在までの売上げ累計は6000万台。世界的な大ヒットであり、私の若い頃はビートルズと並んで人気のあったアメリカのロックグループ、ビーチボーイズのヒット曲「Little Honda」で歌われたのもこのバイクでした。

スーパーカブが登場するまで、50ccの小さな排気量では、人が乗って走れないと思われていました。ホンダにも1952年に売り出した「カブ」という〝原付き自転車〟がありましたが、文字通り自転車に小さな原動機をくっつけた、ペダル付きでした。

自動二輪と言えば、90cc以上が常識だったその頃に、「50ccの軽量バイクはできないか。

開発できれば、市場が一気に広がる」と考えたのが、ホンダのナンバー2・藤沢武夫さんでした。本田社長にアイデアを話すと、「50ccでは乗れるオートバイなんかつくれるものか」と一蹴されます。

けれど、それであきらめるようなヤワな人とは違います。

二人でヨーロッパに旅行したとき、逃げ出せない飛行機の中で「(ユーザーの)底辺を広げない限り、うちに将来はない」と力説しました。

「その頃のヨーロッパ線は南回りだけで、しかも〝各駅停車〟ですから、七十二時間もかかった。そこで、目が覚めると私は五〇ccの話をもちかける。しまいには、本田もうるさがる。しかし、私はここで引き退ってしまってはしようがないので、しつこく粘りました」

ドイツやイタリアでメーカーを視察しているあいだも、外国のオートバイを見ながら、ああでもないこうでもないと議論になる。

「問答をしているうちに、本田は私の欲しがっているもののイメージを理解していったようです」と、藤沢さんは書いています。

日本に帰ると、本田さんの技術的格闘が始まります。

スーパーカブが完成したのは1年後。はじめて模型を見せられた藤沢さんは、「これなら売れる。ぜったい売れる」と断言したそうです。

ホンダが発展するジャンピングボードとなったスーパーカブは、意外なことに「販売と経営のことは私に任せて、あなたは好きなものをつくってください」と言った、ナンバー2のアイデアから生まれたものでした。

脳の働きにはおもに二つのパターンがあります。

・流動型：論理的思考に代表される、持続的な働き方

・結晶型：アイデアやひらめき、気づきのような直感的で、瞬間的な働き方

〝無から有を生ずる〟時代になると経営戦略や戦術においても、論理的な脈略をたどって結論を導き出すような流動型思考だけでなく、結晶型の重要性が増してきます。

なぜならさまざまなデータを踏まえて、その延長線上に答えを探す流動型では、どうしてもこれまでにない「新しさ」とか「意外性」が乏しくなるからです。

一方、結晶型には差別化、オリジナリティ、革新性、あるいはインパクト、サプライズなどを生み出す、飛躍がふんだんにあります。

エンジニアである本田さんは、技術的な論理をたどって、「50 ccでは乗れるオートバイなんかつくれるものか」という結論に達したのでしょう。しかし技術屋の論理を持たない、

素人の藤沢さんだからこそ、スーパーカブのアイデアを持てたのです。

それも漠然と思いついたのではありません。

「(ユーザーの）底辺を広げない限り、うちに将来はない」という、経営的な危機感が生んだ結晶型だったと言っていいでしょう。

もちろん、ナンバー1とナンバー2は立場が違います。

本田・藤沢コンビのように、それは技術と経営の違いかもしれません。営業と生産の畑違いも多いでしょう。あるいはどうしたら未来の目標に近づけるかを、いつも考えているトップと、それのためには会社に現実的な力をつけなければならないという、ナンバー2のポジションの違いもあるでしょう。

立場が違うということは、ものの見方や考え方が異なるということです。そういう違った視点から、トップに材料やヒントを提供するのも補佐役としてのナンバー2の役割であり、今日のビジネスではその役割がますます大きくなっているのです。

ナンバー2の心得⑦です。
・トップにヒントを与えて、積極的に助ける黒子になれ。
ただしそれには、一つ大事なことがあります。

スーパーカブのヒントが、藤沢さんのナンバー2としての役割である営業の、「底辺をもっと広げなければ」という発想から来たように、ナンバー2はナンバー2のテリトリーで考えろということです。

もし藤沢さんが、トップの本田さんと同じ土俵で、「もっと優れたオートバイをつくるには」と考えたら、このアイデアはなかったのです。

同じことを考えても補佐にはなりません。

自分がよく知っている、トップ以上にわかっているジャンルで考える。常に生産現場の近くにいる人なら現場の声の中に、営業マンを指揮する立場であれば、お客さまと接している営業マンの報告の中に、ヒントが隠れています。

よくわからない分野では、単なる「思いつき」しか出てきません。

結晶型のアイデアは、思いつきとは違います。脳に蓄積している、それまでの膨大な情報データが一瞬で結晶するのです。ふだん考えたり、感じたり、悩んだり、また聞いたり、見たり、興味を持ったりしてきたことが、突然頭の中の「問いかけ」のまわりで結晶し、一つの形となっている。それがアイデアです。

ですから私たちは、常に自分の脳に問いかけていなければいけないのです。

ナンバー2の心得

心得① トップの考え方を徹底的に理解せよ。

心得② 「自分の美学」を捨てよ。

心得③ ナンバー1に心底惚れよ。

心得④ どうしても惚れられなければ、尊敬せよ。尊敬もできなければ、せめて好きになれ。好きになることもできなければ、仕方ないから形だけでもナンバー1を立てろ。

心得⑤ 愚直であれ。とことん愚直であれ。

心得⑥ 大いなるイエスマンであれ。

心得⑦ トップにヒントを与えて、積極的に助ける黒子になれ。

・□□は、どうしたらもっと良くなるのか――。
・○○するには、△△をどうしたらいいのか――。

□□や○○に、あなたが今直面している問題を入れてください。「効率」でもいいし、「チームワーク」でも「成績」でも何でもかまいません。

またトップのほうも、聞く耳を持つことが必要です。

それがスーパーカブ的な〝超ヒント〟であるかどうかはわかりません。たぶんほとんどは違うでしょう。しかし「問答する」価値はあります。なぜならあなたが一番信頼するナンバー2のアイデアだからです。

この章でお話した「ナンバー2の心得」を前ページに整理しておきます。

第5章

間違いない人選で**ナンバー2**を育て上げる

No.2 ナンバー2にこんな人は絶対選んではいけない

「会社の成長は社長よりも、ナンバー2にかかっている」

これまで私は、何度もそう言ってきました。ただ厳密に言うと会社の〝成長〟と、会社の〝発展〟は、必ずしも同じではありません。

飛躍的な〝発展〟のためには、外側の条件（チャンス）が必要であり、それを可能にするのは社長の「未来を読む力」と「決断力」です。

当然、チャンスをつかむ「運」もいります。

その意味でトップマネジメントには、明らかに「トップの運」も含まれますが、「運のマネジメント」の話は、また別の機会に譲ることにします。

一方、〝成長〟のほうは、どちらかと言うと内側の充実、つまり日常的業務の処理能力向上や仕組みの改善、新システムの導入などがもたらす、効率性と生産性のアップによって可能になるものです。これは運でもツキでもありません。地道な努力の結果であり、ナンバー2がその努力を惜しまず、手堅い改良を確実に積み重ねているのといないのとでは、会社の成長力がまるで違ってくるのです。

ですから落とし穴があるとしたら、急激な発展のほうでしょう。量的な拡大に、質的な〝成長〟がともなわなければ、破綻を生じる。急激な拡大路線をとった企業の多くが、それを証明してきました。だからこそ「会社を潰すのは社長であり、会社を成長させるのはナンバー2」なのです。

世の中には成長しない会社が、星の数ほど存在します。ただ、そのほとんどは潰れます。新しく誕生した会社で、30年後に存続しているのは10％あるかどうか。新生児の生存率と比べて、会社生存率は異常に低いのです。

ですから、ナンバー2のポストに誰を据えるか。非常に大事な問題であり、慎重に選ばなくてはいけません。ときには今のナンバー2を降格させても、優秀なナンバー2を選ぶ必要があるのです。

どのように選んだらよいか。そのヒントをお話する前に、絶対に選んではいけない人をまず挙げておきましょう。

●利口ぶっている人（小利口）

経営理論や戦略理論などの理屈をやたらと振り回す人がいますが、ナンバー2としては要注意です。ナンバー2に理屈はいらない、からではありません。理屈を振り回す人間は、えてして自分が一番正しいと考えやすいからです。

社長の言うことに異を唱えたがる。社長より自分のほうが優秀だと思い込む。うまくいかないとすぐ「だから言わないこっちゃない。トップの責任だ」と考える。心の底では社長を軽んじたり、侮ったり、見下したりしている人もいるでしょう

これで仕事ができなければ、別に問題ありませんが、仕事のできる人間が多い。それだけにやっかいなのです。

前の章で黒田官兵衛の例を出しましたが、そういうタイプは知恵や知識を誇るところがあり、黒子役にはなかなか徹しきれません。官兵衛のように、ナンバー2におさまり切らない心をいつまでも抱えることになります。

人間的な器が大きく、有無を言わさず自分を認めさせてしまうような魅力を持ったナンバー1でないと、二人の関係を〝掛け算〟にすることは難しいでしょう。

●要領の良すぎる人

トップに一番必要なのは、おのれを捨てて補佐してくれるナンバー２ですが、要領のいい人間はそのあたりの覚悟ができないので、アテになりません。

口先の「任せてください」「大丈夫です」「何も問題ありません」「すぐできます」を信じていると、とんでもない裏切りにあったりします。

●自分勝手なベテラン

二代目社長、三代目社長はこれに注意しなければなりません。

じつはベテラン社員にも二種類のベテランがいて、ベテランというだけで、あるいはこれまでの実績だけで、ナンバー２を選ぶととんでもない失敗をすることになります。

①トップを助けてくれるベテラン社員
②トップの足を引っ張るベテラン社員

具体的にどういう社員かと言うと、①の「助けてくれるベテラン社員」とは、長年働いてきた会社に対して感謝の気持ちがあり、自分が蓄積してきたスキルやノウハウ、またお客さんなどの人脈を提供して、新社長を助けたいと思っているベテランです。

しかし、そういう善玉ばかりではありません。自分の実績を鼻にかけ、新社長を自分より劣る「若造」としか見ない悪玉もいます。

それが②「足を引っ張るベテラン社員」です。

今、「悪玉」と言いましたが、ものたとえであり、その人が悪人であるという意味ではありません。しかし新社長にすれば、たぶんそう呼びたくなるでしょう。

トップの発言にいちいち反対する。ことあるごとに、「先代は」「先代は」と比較し、古いやり方に固執する。社内で自分のポジションをつくり、子飼いの子分を集める。

また、このタイプのベテランには外面が良く、お客さんには好感を持たれる人も多いのです。

けれど社内ではトップをトップとも思わず、我物顔に振る舞っている。つまり外と内と、二つの顔を使い分けている人間であり、信頼にはあたりません。

一度腹を割って、率直に話してみること。それでも改まらなければ、会社のために切るしかないというのが私のアドバイスです。

●法令遵守（コンプライアンス）の精神に欠ける人

どんなに仕事ができても、この精神が乏しい人をナンバー2にしてはいけません。その人が有能であればあるほど、不正取引や違法なルール破りをして会社のダメージとなるような、大きな問題を引き起こす可能性があります。

ですから有能な人間ほど、また職権の大きな人ほど自分を戒める必要があり、トップは日頃からそれを監視していなければなりません。

もちろん日々のトップマネジメントの忙しさの中では、そんなところにまで気を配ってはいられないでしょう。だからこそ、信用できる人間をナンバー2にしなければならないのです。

ナンバー2というのは、不正や違法をやりやすいポジションなのです。

経理的な不正あるいは不当な人事などによって、自分の利益をはかろうとすれば、いくらでもはかれるポジションですから、間違ってもセコイ人間を選んではいけません。ちなみにセコイとは、けちくさい、ずるいという意味です。

●自分を大きく見せようとする人

仕事能力の小さな人には、自分をデカく見せようとか大物ぶりたい気持ちはあまりありません。いるとしたら、やはりこれまで実績を上げてきた人とか、人並み以上に成績優秀なベテラン社員でしょう。「おれがいるからこの会社はもっている」「いなくなれば社長も困るはずだ」「社長といえども勝手なことは許さない」。

トップを尊敬し、立てなければならないナンバー2には決して向かないタイプです。

No.2 ナンバー2には自己犠牲能力が最も求められる

もうおわかりと思いますが、これまでの実績や数字的な貢献度だけで選べないのがナンバー2です。そこを間違えるケースが圧倒的に多いのですが、いわゆる〝仕事能力〟だけでナンバー2を決めるのは、むしろ危険であり、思わぬ失敗のもとになります。

と言うのはナンバー2は「女房役」でもあるからです。

皆さんも奥さんを選ぶのに、「見た目の美しさ」では決めないでしょう。うっかり彼女の美貌だけに目を奪われてしまうと、面白いように5年後、10年後には後悔するハメになります。生涯の伴侶を選ぶなら「人柄」や「相性」も考慮すべきだったと、ようやく悟る頃には、彼女のほうも間違いなく後悔しています。

ナンバー1と、その女房役であるナンバー2の関係でも、「人柄」あるいは「相性」が重要であることは言うまでもありません。

一般的にナンバー2選びのポイントとして、次の三つがよく挙げられています。

●ナンバー1とナンバー2の得意分野が異なっていること

たとえば同じ営業畑出身だと、競争意識がどうしても出てしまう。しかし営業と製造、開発と営業のように、得意分野が異なっていれば、互いに足りない部分を補い合うことが可能です。

●ナンバー2は几帳面な人がよい

ナンバー1のトップマネジメントに比べると、ナンバー2のミドルマネジメントは細々とした調整が必要です。一つひとつの課題を着実に解決し、発生する問題を見逃さず、丁寧に処理していく。そんな几帳面さはナンバー2に欲しい性格です。

●ヒューマンスキルの高い人が向いている

ナンバー2のミドルマネジメントで、最も必要とされるのがヒューマンスキルであることはすでにお話しました。コミュニケーション能力や人間関係能力が高い人のほうが、そうでない人よりナンバー2に向いているのは当然です。

もし自由にナンバー2を選べるなら、また自由に選べるぐらい人材が豊富であるなら、ここにあるように自分の不得意なジャンルで大いに力を発揮してくれ、几帳面で、なおかつヒューマンスキルが高く、全体をうまくまとめられる人がいいに違いありません。

しかし実際は、なかなかそんな〝理想の相手〟はいません。

と言うより、人的資源にこと欠かない大企業は別にして、中小企業の場合は「ナンバー2を選ぶ」どころか、もう最初から決まっていた、あるいはその人以外に適当な人材がいないというところが多いのが、たぶん実情でしょう。

小さな組織では、選択肢が限られてしまうのです。

これも、じつは結婚の場合と同じです。最初から〝理想の奥さん〟〝理想の旦那さん〟を探しても、そんな人は絶対にいません。たいていは今までの成り行きや、恋愛の余勢をかって結婚するのではないでしょうか。

結婚20年後、30年後に幸せなカップルがあるとすれば、むしろ長い結婚生活の中で、しだいに相手にとって最高の妻、相手にとって最高の夫になってきたのです。

どういうことかと言うと、人は誰でも最高の妻、最高の夫になれるということです。理想の妻や理想の夫は、なるのが大変ですが、こちらは唯一人の相手にとって、最高であればいいのですから比較的簡単です。

じつはナンバー２選びでも、「理想のナンバー２」というのはありません。

会社の規模や業種、事業形態などによって、またトップの性格や考え方によっても、ナンバー２のあり方は違ってきます。

この本では、原則的なことをいろいろ述べてきました。けれどそれらは、あくまで心得です。こうでなければならないというものではありません。生涯の伴侶と同様、そのナンバー１にとって、優秀なナンバー２であればいいのです。

ですから「得意分野」も「几帳面」も、また「ヒューマンスキル」も、ナンバー2選びの絶対条件ではありません。

これまでの成果とか活躍度、実績、仕事能力も、もちろんあるに越したことはないけれど、必須絶対条件ではありません。

むしろそれらはみんな、ポジションが与えてくれるものです。

人は何かのポジションに就くと、その職責を全うしようと努力し、ポジションに必要な能力をひとりでに身につけていくものなのです。

だから今の能力より、ちょっと上の役を与えるのが人材育成の基本です。すでに十分こなせるポストをあてがっても、能力開発や生産性のアップにはつながりません。ですから伸ばしたい人材は、多少力不足と思っても上のポストに就けるべきです。

おそらく皆さんが思っているであろうほどには、現在の保有能力（才能＋経験）は、ナンバー2選びの決定的な要件ではありません。

ナンバー2選びの決定的な要件、それは自己犠牲能力です。

No.2 ナンバー2としての優秀度を調べる

世の中にいるナンバー2を「優秀さ」という点で分類していくと、次の4タイプに分かれます。

①保有能力があり、自己犠牲能力もある
②保有能力はないけれど、自己犠牲能力がある
③自己犠牲能力はないけれど、保有能力がある
④自己犠牲能力も、保有能力もない

「優秀さ」でナンバー2を分類するなら、この分類以外にありません。

なぜこの分類以外にないかと言うと、自己犠牲能力は、ナンバー2が「黒子」や「縁の下の力持ち」としてトップを支えていくのに、絶対に必要な能力だからです。

一番理想的なのは、もちろん①「保有能力があり、自己犠牲能力もある」です。けれどそういう理想的な人材は、めったにいません。

保有能力が高いと、人はどうしても自分が目立ちたくなるからです。活躍して、みんなの注目を集めたくなる。その結果、③「自己犠牲能力はないけれど、保有能力がある」という、ナンバー2に一番向かないタイプになってしまうのです。

また、④の「自己犠牲能力も、保有能力もない」の場合は、ナンバー2選びの候補にエントリーされないので、まずいないと言っていいでしょう。

残ったのは、②「保有能力はないけれど、自己犠牲能力がある」です。自己犠牲能力さえあれば、保有能力は多少足りなくても、後からいくらでもついてきます。

私が見てきた中には、「あいつに部長は無理だ」「時期尚早だろう」「ミス人事ではないか」とさんざん言われた人が、他の部長たちと遜色ない堂々たる部長になったばかりか、自分の部門を大きく伸ばし、今はナンバー2として采配を振るっているケースもあります。

しかし実際には、③「自己犠牲能力はないけれど、保有能力がある」人をナンバー2にしてしまうケースが圧倒的に多いのです。

なぜならトップの多くは、ナンバー2とは何であるかをちゃんと理解していないからです。ナンバー1とナンバー2の違いは「役割の違い」であると第1章で述べました。けれどほとんどのトップは、「役割の違い」とは考えず、能力や実力などの〝差〟であると思い込んでいます。

だから自分の次に保有能力がありそうな人をナンバー2にしてしまうのです。ちなみに、〝自分の次〟なので一番の実力者とは限りません。

その結果、ナンバー2としては優秀でない③のタイプが、ナンバー2になるケースが非常に目立つのです。

「黒子」や「縁の下の力持ち」に徹し切れない。社長に惚れて、尊敬し、それが難しい場合でも、しっかり立てて、「大丈夫です。こっちは任せてください」と言ってくれない、中途半端なナンバー2になってしまうのです。

・あなたがナンバー2であれば、客観的に見て、あなたは①～④のどれに当てはまると思いますか?

・あなたが社長なら、客観的に見て、あなたのナンバー2は①～④のどれに当てはまると思いますか?

私が実際に「No.2理論」を指導するときは、次に挙げたようなナンバー2を評価する「No.2実績考課表」を用いて、日々の自分の行動が、ナンバー2に相応しいものであったかどうかを自己チェックしてもらうことにしています。

・トップに対して、忠誠心を発揮しているか
・自分の美学は捨て切って仕事に挑んでいるか
・トップに気を使わせず、トップに気を使い切っているか
・トップが喜ぶ新しいアイデアをトップに提供できているか
・現場の意見や流れをトップにしっかり報告しているか
・組織の監視役として部下を統率する役割がしっかりできているか
・常にトップの考えを徹底して部下に伝えているか
・部下および自身の適切な時間管理を行えているか
・管理、経営、統率などの職務遂行は十分に信頼のおけるものであったか
・言動はトップに十分認められるものであったと思うか
・法令、規則を守り、ナンバー2の良識を持って行動しているか
・ナンバー2にとって一番大切な自己犠牲能力は完璧であったか
・トップから見て、評価に値する最高のナンバー2であったか

No.2 平凡なナンバー2を優秀なナンバー2に変える

ナンバー2を育てる方法……と書こうとして、はたと筆が止まりました。ナンバー2の場合、「育てる」という言葉でいいのだろうかと疑問になったのです。

と言うのは、ナンバー2ともなれば、もう20代の若者ではないでしょう。40代、50代のベテランが多いと思います。いたとしても気鋭の30代。先代の跡を継いだ場合には、父親に近い年齢の大先輩がナンバー2として君臨している、なんてこともないとは限りません。

ニューフェイスでも若手でもないベテランに、「育てる」だの「育て方」だのというのはおこがましいし、どうも違う気がするのです。

むしろ「ベテラン社員を優秀なナンバー2に変える方法」とか、「平凡なナンバー2をそのまま優秀なナンバー2に変身させる方法」と言ったほうが、この場合はピッタリきそうです。

●「トップの考え」をシェアする

「考え」と言っても、人生についてとか政治的な意見とかではありません。相互理解のためにはそれも大切でしょうが、まず、どんな経営をしたいのかです。

どういう会社をつくりたいか。会社の未来をどう思い描いているか。具体的な目標をどこに置いているか。将来はこんな事業も手がけたいというビジョンも、もしあれば語り合ってください。売りたい商品、作りたい店の話。また社員のこと、お客さんのことも話し合う必要があります。

働いてくれる社員や、そのおかげで会社が存在できるお客さん、ユーザーに対して、どういう気持ちで向き合っているか。

さらには世の中に対して、どんな貢献をすべきか。どんな貢献が可能か。

「これだけ儲けよう」、あるいは「会社をどれだけデカくするか」という話だけでは足りません。「世の中のため」「社会のため」「人のため」に、何ができるかという「理念」が必要なのです。

居酒屋「てっぺん」の大嶋啓介さんは、私が講師を務める「西田塾」の出身で、今や飲食業界では有名なカリスマ経営者です。全国１３００店舗が参加するイベント「居酒屋甲子園」の発案者でもある大嶋さんが29歳ではじめて店を持った頃、仕事のあと毎晩スタッフと酒を飲みながら、「サラリーマンがグチを言い合う居酒屋ではなく、お客さんが自分の夢を熱く語りたくなるような居酒屋をつくろう」「お客さんが店に入るだけで元気になり、ワクワクするような店にしたい」「そんな店をつくるにはどうしたらいいか」「おれたちが居酒屋から日本を変えるんだ」……そんなことを熱く語り合ったそうです。

それが大嶋さんの理念をみんなでシェアすることになり、全国的な大イベントを立ち上げるような素晴らしい団結力を生み出したのです。

私たち人間は、短期的には「自分の利益のため」だけにでも頑張れます。しかし長期的には、どこかに「社会のため」「人のため」という大義がなければ頑張り続けられません。皆さんが考えている以上に、私たちは社会的な動物なのです。

その証拠に自分だけ儲かっていると人はだんだん不安になり、「儲かっている企業」の経営者の多くがそうであるように、深い孤立感に悩まされるようになります。

それが恐ろしい分離不安というものです。

逆に、自分の仕事ならとてもできないような３Ｋ作業でも、ボランティアであるというだけで、喜々として取り組めてしまうのです。

ナンバー2と理念をシェアする。

大きく成功した経営者は、必ずそれをしています。ホンダの本田・藤沢コンビも、ソニーの井深・盛田コンビも、最初から経営者として優秀だったのでなく、今の皆さんと同じように夢や理念を語りながら優秀になっていったに違いないのです。

ナンバー2に「優秀」を期待するなら、自分も優秀なトップにならなくてはいけません。つまり、これまでの優秀なトップと優秀なナンバー2がやってきたことを、あなたと、あなたのナンバー2もやったほうがいいということです。

具体的には、一緒に「社是」や「会社の理念」を考えてみるといいでしょう。何のために会社を経営するのか。ぜひ二人で話し合ってみてください。そこが一致していれば、誰でも最高のナンバー2になってしまうのです。

●信頼して権限を移譲する

ナンバー2を信頼し、任せなければなりません。

小さな企業の社長には、これが一番難しいことかもしれません。任せることができず、何でも自分が出ていってやってしまう。仕事全般を最もわかっているのは社長ですから、そうしたくなるのはよくわかります。しかしこのままではナンバー2はいつまでも社長の御用聞きであり、補佐役や大番頭にはなれません。会社はいつまでも、社長一人で切り回す零細企業の形を脱し切れません。

何度も言ってきましたが、会社が大きくなるとナンバー2が必要になり、またナンバー2がいなければ、会社は大きくなれないのです。

会社にナンバー2がいる。それはどういうことかと言うと、信頼する人がいるということであり、信頼するとは、任せるということであり、任せるとは権限を移譲するということです。権限を委譲されて、はじめて人はその職責に相応しい能力を発揮しようと、相応しい人間になろうと本気で努力します。

しかし、権限は委譲しっ放しではいけません。「任せたよ」と放ったらかすのでなく、いつも視野の中に置いて見守ることが大事です。報告を義務付け、ときどき質問し、必要に応じてアドバイスを行わなければなりません。

２００９年にファッション・デザイナー、山本耀司さんが代表をつとめるヨウジヤマモトが、60億円の負債を抱えて倒産しました。そのときの記者会見で山本さんは、「自分は裸の王様だった」と告白しています。デザイナーの仕事に一生懸命で、経営はみんな部下に任せてしまった。耳に入ってくるのは、いい話ばかり。会社がどんなことになっているか、まったく知らなかったというのです。

厳しい言い方をすれば、経営者として失格です。やはりビジネスマンであるより、山本さんはクリエーターだったのでしょう。

・任せろ、しかし放任はするな。

ナンバー1が肝に銘じておくべき最も大事な心得です。

●部下に惚れられるのに必要なたった二つのこと

これもまたＭＢＡでは教わらない経営の極意です。職場の上司やリーダーにも使える極意なので、ぜひとも覚えてください。

前章のナンバー2の心得の中で、トップに惚れることは難しいと書きました。惚れたくても、どうしても惚れられない、なかなか惚れさせてくれないトップもいます。「惚れることも、尊敬することもできなければ、形だけでも相手を立てなさい」と言いました。

上司に惚れることは難しくても、部下を惚れさせることなら簡単です。

たった二つのことをすればいいのです。

・部下のことを心配し、いつも気にかける
・部下以上に情熱的に仕事に取り組む

これだけで部下は必ず上司に惚れ込むし、尊敬するのです。

あなたにとって最高のナンバー2になってもらうには、ナンバー2の心のど真ん中に、あなたに対する「この人のためなら」という思いを生じさせなければ難しいのです。

それが先に紹介した豊田佐吉翁のナンバー2、石田退三さんの、

「うちの社長は変人だけど偉いんだからおれが支えてやらんとどうにもこうにもならん」
「ひとつ本気で助けてあげねばならん」

という思いなのです。ランチェスター戦略をはじめとして、経営戦略・戦術の講義も行ってきた私だから、敢えて言うのですが、小手先の戦略や戦術よりもこういう人の思いが、じつは会社を動かしています。

考え違いをしている人がたくさんいますが、戦略が会社を動かすのではありません。戦略や戦術は「どう動くべきか」を教えるだけです。会社を動かし、成長させ、発展させるのは一人ひとりの社員の思いです。

ナンバー1が「魅力あるナンバー1」になれば、ナンバー2は必ず優秀なナンバー2になります。人間とはそういうものです。

なかなか捨てたものではないのです。

部下にとって上司の一番の魅力は、ここに述べた四つです。

・思いを語ってくれる（理念の共有による連帯）
・信頼してくれる（権限の委譲による責任感と使命感の喚起）
・情熱的に働いている（感動と共感）
・自分のことを気にかけてくれる（承認欲求と自己重要感の充足）

No.2 自分自身が優秀なナンバー2に育つ

ここまではトップの立場で、優秀なナンバー2を〝育てる方法〟――会社のナンバー2を優秀なナンバー2に変える方法を述べてきました。次はナンバー2の立場から、自分が優秀なナンバー2に〝育つ方法〟を紹介しましょう。

ハッキリ申し上げておきますが、優秀なナンバー2になるのは簡単ではありません。ナンバー1になるより難しい、と私は思います。何しろ、「会社を伸ばすのはナンバー2であり、会社を潰すのはナンバー1」なのですから、優秀なナンバー2にはそうそうなれないのです。

これから優秀なナンバー2になろうという人は、そのことを覚悟してください。けれど、心配する必要はありません。

前の章で、ナンバー2の「七つの心得」を紹介しました。「七つの心得」をしっかり心に刻みつけ、それを日々の仕事の中で実践すれば、あなたは必ず会社を伸ばす優秀なナンバー2になれるはずです。

さらにそれを確実にするために、心得をもう一つ付け加えておきます。

優秀なナンバー2になるための最後の心得（ナレッジ）とは――

・ナンバー2は、社員の「手本」にならなければいけない。

皆さんの会社は、何人の社員がいるでしょうか。何十人、何百人、何千人いようと、ナンバー2は第一の社員であり、後ろに控えている大勢の社員の代表です。そして、大事なことは、後ろにいる社員たちが見ているのは、あなたの背中であるということです。

つまりナンバー2は全社員の手本であり、社員はみんな意識的、無意識的に「第一の社員」にならうものなのです。前にならえです。その手本がいい加減だったり、中途半端だったりすれば、会社全体が締まりのない、生温い組織になるのは当然です。

ナンバー2になった以上、黙ってあなたの背中を見ているたくさんの目があることを忘れるべきではありません。

社員の「手本」であろう。その努力が、人を優秀なナンバー2に育てるのです。

ですから、朝一番に出てきて一番遅く帰るのがナンバー2です。

グチをこぼさず、汗を流すのがナンバー2です。

社長の悪口は、親しい人にも言ってはいけません。

どんなに難しい仕事にも、常に前のめりで取り組む。

矢面に立ってトップを守り、ときには汚れ仕事も引き受けなければならない。

ナンバー2になったら、義務感やプレッシャーで一生懸命になるのでなく、本気になって働くのです。

世の中には、常に三種類の人間がいます。

一つは**いい加減な人間**です。

ものごとにいい加減であり、他人に対していい加減であり、したがって、自分にもいい加減である。能力が足りないのであれば、伸びる可能性がありますが、いい加減な人間だけは可能性がありません。

なぜならいい加減な人間は、向上心がないからです。

もう一つは、**一生懸命な人間**です。

ほとんどの人は、一生懸命に生きています。一生懸命は必死さの一種であり、必死さは一種のストレス状態です。人はたいていノルマなどの義務感や、「これをやらないとマズイことになる」というプレッシャーから、必死になるのです。

しかし拍車としてのプレッシャーが役立つのは、どちらかと言うと短期勝負です。

最後が**本気になれる人間**です。

ノルマに追われたり、尻を叩かれたりして、仕方なく一生懸命になるのではありません。何ごとでも「自分がやりたいからやる」と考えられる、主体的な人間だけが本気になれるのです。人を向上させるのは、この本気さです。

本気だからこそ自分をとことん追い込めるのです。

社長が本気になるのは当たり前です。

ナンバー2が本気になり、手本となってみんなを引っ張っていけるかどうか。会社の成功・不成功は、じつはそんなところにかかっているのです。

第6章

優秀なナンバー2が優秀なトップをつくる

No.2 二番目を知る人は少ない

日本の山で一番高いのは富士山。日本人であれば、知らない人はいないでしょう。けれど二番目に高い山となると、知っている人はぐっと少なくなります。南アルプスにある北岳という山なのだそうですが、そんな名前ははじめて聞いたという人も多いのではないでしょうか。

私も登山好きの友人に教えてもらうまで、まったく知りませんでした。

ヒマラヤ山脈のエベレストが、世界の最高峰であることは子供でも知っています。しかし、パキスタンと中国の国境にある世界2位の高峰「K２」は、山登りが趣味の人以外、ほとんど耳にしたことさえないと思います。

世間が注目するのは、いつもナンバー1です。ナンバー2のほうは、たった1番違いなのに全然注目されません。

ナンバー1とナンバー2では、それほど価値が違うのです。

だから私もナンバー1を目指せ、金メダルを目指せと言ってきました。実際、金と銀では、その価値が天と地ほども違います。

市場獲得競争も同じです。

シェアナンバー1とナンバー2では、知名度をはじめとして戦略的な価値に決定的な差があります。来客数ナンバー1のラーメン屋と、来客数ナンバー2のラーメン屋であれば、まず行ってみたいのは、ナンバー1のラーメン屋でしょう。

だから、ナンバー1になれ。小さな企業であれば、まず地域におけるナンバー1を狙え。狭いジャンルでもいいから、とにかくそのジャンルのナンバー1商品、ナンバー1企業を目指せというのが、有名なランチェスター戦略の№１理論です。

しかし本書がここまで述べてきたトップとナンバー2は、お話したように役割の違いであって、山の高さやシェアのように、並べて比較するものではありません。

ただ知名度の点では、やはりナンバー2は、トップに遠く及びません。最高経営責任者であるトップと、黒子であり、同時に縁の下の力持ちでもあるナンバー2＝最高業務執行責任者では、やはり世間の注目度が全然違うのです。

業績が良ければ、あそこのトップは凄いとすぐ評判になる。思わしくない状態が少しでも続くと悪いのはトップだと話題になる。いい意味でも悪い意味でも、何かにつけて取り沙汰され、ライトを浴びるのはいつもナンバー1です。

ですからナンバー2のことを調べようとしても、ほとんどわかりません。目下売り出し中の企業で、トップはマスコミでもよく顔を見かける有名人でも、ナンバー2のほうは名前さえ知られていない。だからと言って、ナンバー2がいないわけではありません。大きく伸びている会社には、必ず優秀なナンバー2がいます。

ただ、そのナンバー2の姿が、外からはちっとも見えないのです。

縁の下の力持ちになるとは、そういうことです。

この本でももっといろいろなナンバー2を紹介したかったのですが、証言や資料が思いのほか少なく、その数も限られてしまいました。

いきおいホンダの藤沢武夫さんやトヨタの石田退三さん、パナソニックの高橋荒太郎さんのような、評価が定まった、一時代前のナンバー2が多くなりました。

とくに藤沢さんは、一般の人にもよく知られているナンバー2であり、ご自身の著書も何冊かあるので、たびたびご登場を願うことになりました。

その藤沢さんが、トップの本田宗一郎さんと一緒に引退したのは昭和48年のことでした。

当時、日本を代表する大企業のトップとナンバー２の同時引退は、人々を驚愕させる大ニュースでした。

そのときの事情を藤沢さん自身がのちに回想しています。

本田技研工業の経営に参加して25年目に当たるその年。藤沢さんが引退を申し出ると、本田さんは「二人いっしょだよ」と答えたそうです。

「まあまあだな」

「そう、まあまあさ」

「ここらでいいということにするか」

「そうしましょう」

「幸せだったな」

「ほんとうに幸福でした。心からお礼をいいます」

「おれも礼をいうよ、良い人生だったな」

羨ましくなるような、見事な幕引きです。

経営にいつまでも執着して「老害」になることなく、鮮やかに引く。本田宗一郎64歳、藤沢武夫60歳。以来、ホンダではナンバー２は、後継者のポジションではないということ、つまり次期社長にはならないことが不文律となっています。

この不文律によって経営陣の大胆な若返りが可能になり、今日の企業には最も必要な、経営の柔軟性や革新性を維持することにつながっていると言えるでしょう。

さらにこの不文律は、ナンバー2に一つの覚悟、すなわち生涯ナンバー2として生きることの覚悟を促すものです。

「おれだってトップになりたい」

「一度は一国一城の主になって、思う存分、思うようにやってみたい」

上昇志向を持った人間なら、誰でも抱くに違いない、そういう自分の美学を捨てさせ、ナンバー2に徹し切らせることになるでしょう。

自分の野心に心乱されることなく、黒子の仕事に全エネルギーを集中する。とくに大企業より、ナンバー2の存在意義がはるかに大きい中小企業の場合は、ナンバー2がそれに徹し切るのとそうでないのとでは、会社の成長する力がまるで違ってきます。

けれど、どうか誤解しないでください。

私は、「ナンバー1を目指すな」と言っているのではありません。また、野村元監督のように「生涯一ナンバー2」を勧めているわけでもありません。

「ナンバー1を目指す人も目指さない人も、まずは優秀なナンバー2を目指せ。今の仕事で最高のナンバー2になれ」と言いたいのです。

No.2 まずは職場のナンバー2を目指す

私は本書の「まえがき」で、この本は会社のトップとナンバー2だけでなく、もっと多くの人に読んでほしいと書きました。

職場の管理職やチームリーダー、いろいろなセクションで指導的・サブ的な立場にある人たちにも読んでいただきたい。

さらに一般の会社員や非正規社員、アルバイト、とりわけ仕事のことで悩んでいたり、なかなか仕事で本気になれない人たちにも読んでほしいと願いながら、ここまで書いてきました。

なぜならどんな夢であれ――たとえば、「幸せになりたい」とか「金持ちになりたい」とかいうような、ごく漠然とした夢であっても、夢をかなえる第一歩は、自分が今いるところで頑張る以外にないからです。

たとえ明日、この会社を辞めることになっていても、今日はここで頑張るしかない。今日、もしここで頑張れなければ、次の職場でも頑張れません。

100%間違いなく頑張れないと、私が保証します。

念のために申し添えておくと、とりわけ若い世代に誤解している人が少なくないのですが、仕事の好き・嫌いなどは、仕事を頑張れるか頑張れないかということとは、ほとんど何の関係もないのです。

では、どんなふうにここで頑張ったらよいのか――。

じつは、〝正しい頑張り方〟があるのです。

それを知らないとうまく頑張れません。何のスポーツもそうですが、ただでたらめに、自己流に頑張っても一定以上には上達しない、それと同じです。素人の自己流ではなく、コーチが教えるその通りの練習を積み重ねる。それがスポーツで技能を確実にアップする頑張り方です。

仕事であれば、「職場のナンバー2を目指す」が正しい頑張り方なのです。

具体的に言えば、課長や係長、主任が、あなたに期待するように動くこと。

仕事全体を一番よく知っている上司の期待通りに動くことが、あなたの能力を高める正しい努力の仕方です。

新人なら、はじめは上司の指示通り動くので精一杯かもしれません。しかし上司の考え方がわかってくれれば、言われなくても上司の言いたいことがよくわかり、自主的に動ける。自分の判断で勝手に動くことが、主体的に行動するということではありません。

上司の考えをしっかり理解し、上司が期待するように動く。

それが自主的・主体的に働くということなのです。

そのためにはわがままや好き嫌いはもちろんのこと、「こうしたほうがいいのに」という自分の思いも捨てて、上司の考えを徹底的に知り、それに自分の考えを一致させなければなりません。それがナンバー２の基本的な心得でした。

これができたとき、職場のナンバー１である上司にとって、あなたは間違いなく欠くことのできない、大事なナンバー２になっているはずです。

たとえば、あなたが今、レストランチェーン店のフロアスタッフであれば、そこで優秀なナンバー２にならなければ、何も始まりません。

今のチームで優秀なナンバー２になれない人間が、別のどんな店に行っても、仮に自分の店をオープンしたとしても、成功などするはずがないのです。

上司であるチーフの考えを徹底的に理解し、どう行動すればチーフの期待に応えられるか——言い換えれば、チーフに喜んでもらうにはどうしたらいいかを絶えず考えながら仕事をする。自分のわがままや美学を捨ててチーフを立て、チーム全体がうまくいくように努力する。これができれば、必ず出世します。

チーフに昇進したら、今度はワンランク上の上司である、店長の優秀なナンバー2になる。店長の考えをとことん理解し、常に店長を立ててみんなをまとめていく。さらに店長に昇進したら、次は地区統括責任者の期待に応えて優秀なナンバー2になる……。

おわかりでしょうか？

「優秀なナンバー2になろう」と努力することは、仕事のプロとして成長することなのです。それぞれの段階で、プロとしてスキルアップしていくことです。

昔は、みんなそのようにして一流のプロになりました。文字通り、丁稚から始めた松下幸之助さんなどはその典型でしょう。

下積みの苦労、縁の下の努力をたくさん経験しています。

だから多少のことでは転ばない、粘り腰の「強運」を持てたのです。

しかし最近はＩＴ産業などに見るように、はじめからトップになってしまう人がたくさんいます。いかに労少なく効率的に大きな成果を得るか、コストパフォーマンスがいいか、それをスマートだと思う人が増えているのでしょう。そんなポッと出の社長さんを見ていると頭の回転は速く、突破力はありますが、どうも運に粘りがない。

勢いはいいけれど、簡単にこけてしまう。途中で部下に裏切られて失脚したり、思いがけないところで滑って転ぶような、「挫折運」の持ち主が多いように思うのです。

それが松下幸之助さんなどと一番違うところです。

誰かのために自分を捨てたり、自分を犠牲にするような訓練をしてこなかった。だからここぞという最後の最後に、自分の欲望や好き嫌いが出て判断を狂わせてしまう。失敗した企業家たちを見ていると、そんなパターンが非常に多いのです。

そういう挫折運を避けたいなら、二つの方法しかありません。

・優秀なナンバー2になり、自己犠牲能力を高める
・超優秀なナンバー2をつかまえる

No.2 優秀なナンバー2になってトップを支える

富士山に登ったことのある人は多いと思います。毎年シーズンになると、頂上まで延々と続く登山者の列ができるほどです。

ナンバー1の山は、登山者もまたナンバー1に多い山なのです。

私は、まだ富士登山の経験がありません。いつか登ってみたいと思いますが、あの列に連なり、前の人のお尻を見ながら、石ころだらけの山道をトコトコ登っていく自分を想像するだけで、気持ちがなえてしまいます。

登山好きの友人に言わせれば、登山の楽しみは、むしろ北岳のほうにあるようです。高山植物も豊かで、天然記念物のライチョウも生息しています。

何より見晴らしが素晴らしい。もちろん富士山頂からの眺めも絶景です。しかし富士山からは絶対見えないものが、北岳からは見えるのです。

美しい富士山です。

あの富士山が雲海に突き出て、浮かんでいるところを目にしたら、まるで仙人の世界にでも来たようで、もうそこから動きたくなくなると友人が言っていました。

正直に言うと優秀なナンバー1になるのは、非常に難しいことです。ナンバー1になるのは簡単ですが、優秀なナンバー1にはなかなかなれません。なぜかと言えば、トップマネジメントには正解がないからです。

「流動的な状況の中でどんな判断を下せばいいのか――」

それは誰にもわからないというのが本当のところでしょう。

その難しいトップマネジメントを支えるのがナンバー2の仕事です。女房役として人間的に支えるだけでなく、組織力を強化すること――具体的に言えば、目標に向けてみんなの気持ちを一つにし、またシステムや仕組みを工夫し、効率や生産性を絶えず高める努力をし続けることで、トップマネジメントを支える。それがナンバー2のやりがいであり、縁の下の力持ちのプライドです。

上司の期待に見事に応える職場のナンバー2も、社長のトップマネジメントを補佐するナンバー2も、おそらく優秀なナンバー2の心はみんな同じです。

このチーム、この会社を、もっと伸ばしたい――。

チームや会社が伸びる。それは自分が伸びることです。

伸びた会社は優秀な人材をたくさん輩出します。ちっとも伸びない会社が優秀な人材を世に送り出したという話は、私は聞いたことがありません。自分が優秀になる一番確実な方法は、自分が今いる、この場所を発展させることなのです。

言い換えれば、今いる場所のトップを盛り立てていくことです。

一番高い山に登るのもいいけれど、二番目の山に登るのも面白い。

よっしゃ！　今日から、優秀なナンバー2になる努力をしよう。

そう思っていただけたら、この本の目的は達成されたことになります。

あとがき——時代は優秀なナンバー2を求めている

これまでのようなピラミッド型の会社組織から、グリッド型とかプロジェクト型と呼ばれる、各部署・チームが横に並んで連携する、よりフラットな組織形態へ、会社の形も徐々に変わりつつあるようです。

ピラミッド型ではトップとボトムのあいだに大きな距離ができてしまい、スピード感を持って時代の変化に対応できなくなったのが一番の原因です。

今はまだＩＴ企業など一部の分野に限られていますが、トップとボトムの距離を縮めようとすれば、一般の企業も何らかのかたちで、よりフラットな要素を取り入れていくことになるでしょう。

「スピード」がますます重要なビジネスキーワードになりつつある今、その流れが速まることはあっても、もうそれを止めることはできません。

つまり、ナンバー２の役割がいっそう大きくなるということです。

フラットで横並びの組織になればなるほど、全体を監視し、コントロールしていくまとめ役、調整役が必要になるからです。

時代が、優秀なナンバー2を求めているのです。

これまでナンバー2の役割はほとんど論じられませんでした。

経営とは、社長の方針や決断であり、またその戦略であって、会社の命運を握っているのはそれらであると考えられてきました。

しかし同様に、あるいはそれ以上に会社の命運を左右しているのが、じつはナンバー2の仕事であることを、この本では述べてきたつもりです。

ナンバー2は、やりがいのある仕事です。

一人でも多くの人が、ナンバー2の仕事にやりがいを発見し、それを感じてほしいという思いで、この本を書きはじめました。

ただ一つ、そのやりがいに「ネック」があるとすれば、トップがその働きを認めなければ、ナンバー2はなかなかそれを感じられないのです。喜びを感じながら、ナンバー2という黒子役、縁の下の力持ちに徹することが難しくなります。

ですから最後にお願いがあります。

読者の中には会社のトップも少なからずいると思いますが、一度機会を見て、ナンバー

2にこんなふうに声をかけていただきたいのです。

「ありがとう。うちの会社がうまくいっているのは、きみのおかげだ」

残念ながら、今まさに会社がピンチに遭遇していたら、こう言い添えてください。

「苦労かけて、すまないな。今こそきみの力が必要だ。一緒に頑張ってくれ」

常々思うのですが、日本の会社ではナンバー1とナンバー2のコミュニケーションがあまりに少なすぎます。年数を経るほど少なくなり、今では用事を伝達するだけの会話しかない、というケースも少なくありません。

舞台で動き回る主役と、その動きを支える黒子役が心を通わせていないとしたら、一体感のある演技などとても不可能でしょう。

トップとナンバー2は、少なくとも月に一度酒でも酌み交わしながら語り合うこと。

私からのアドバイスです。

著者略歴

西田文郎（にしだ・ふみお）

株式会社サンリ　会長
西田塾 塾長
西田会 会長

1949年生まれ。

日本におけるイメージトレーニング研究・指導のパイオニア。

1970年代から科学的なメンタルトレーニングの研究を始め、大脳生理学と心理学を利用して脳の機能にアプローチする画期的なノウハウ『スーパーブレイントレーニングシステム（S・B・T）』を構築。日本の経営者、ビジネスマンの能力開発指導に多数携わり、驚異的なトップビジネスマンを数多く育成している。

この『S・B・T』は、誰が行っても意欲的になってしまうとともに、指導を受けている組織や個人に大変革が起こって、生産性が飛躍的に向上するため、自身も『能力開発の魔術師』と言われている。

経営者の勉強会として開催している『西田塾』には全国各地の経営者が門下生として参加、毎回キャンセル待ちが出るほど入塾希望者が殺到している。

また、世の中の多くの方々を幸福に導くために、「ブレイントレーニング」をより深く学んで実践できる、通信教育を基本とした『西田会』にも力を注いでいる。

さらに、ビジネス界だけでなく、スポーツの分野でも科学的なメンタルトレーニング指導を行い、多くのトップアスリートを成功に導いている。2008年の北京五輪で金メダルを獲得した女子ソフトボールチームの指導も行った。その実績は、まさに日本のメンタルトレーニング指導の国内第一人者に相応しいものである。

著作に、『No.1理論』『面白いほど成功するツキの大原則』『人生の目的が見つかる魔法の杖』『かもの法則』『No.1営業力』（現代書林）、『強運の法則』（日本経営合理化協会出版局）、『ツキの最強法則』（ダイヤモンド社）、『他喜力』（徳間書店）など多数ある。

西田文郎 公式ウェブサイト　http://nishida-fumio.com/
西田文郎 公式ブログ　http://blog.nishida-fumio.com/
西田会 公式ウェブサイト　http://nishidakai.com/
株式会社サンリ ウェブサイト　http://www.sanri.co.jp/

No.2《ナンバーツー》 理論《りろん》　最《もっと》も大切《たいせつ》な成功法則《せいこうほうそく》

2012 年 11 月 26 日　初版第 1 刷
2025 年 3 月 31 日　　第 7 刷

著　者 ―――――――― 西田文郎《にしだふみお》
発行者 ―――――――― 松島一樹
発行所 ―――――――― 現代書林
〒162-0053　東京都新宿区原町3-61　桂ビル
TEL／代表　03(3205)8384
振替00140-7-42905
http://www.gendaishorin.co.jp/
デザイン ―――――――― 吉﨑広明

印刷・製本　広研印刷(株)
万一、落丁・乱丁のある場合は購入書店名を明記の上、小社営業部までお送りください。この本に関するご意見・ご感想をメールでお寄せいただく場合は、info@gendaishorin.co.jp まで。

ISBN978-4-7745-1380-5 C0030

消費は0.2秒で起こる!

西田文郎 著

定価1540円（本体1400円+税）

パッと見た瞬間に、買いたくて仕方なくなるように仕掛ける——本書は、脳の専門家の著者が明かす脳から見た消費のメカニズムです。これをビジネスに生かせば、成功間違いなし。お客さまの心をわしづかみできます。

ビジネスNo.1理論

西田文郎 監修
西田一見 著

定価1540円（本体1400円+税）

『No.1理論』のビジネス版が登場！ 進化した理論をベースに、3つの脳力「成信力」「苦楽力」「他喜力」を使って、成功間違いなしの「勝ちグセ脳」を手に入れられます。ワークシートで実践しながら学べる本。

イヤな気持ちは3秒で消せる!

西田一見 著

定価1650円（本体1500円+税）

今、イヤな気持ちに振り回されている人がたくさんいます。それをたった3秒で消し去るのが、本書で紹介する「3秒ルール」です。これなら感情がコントロールでき、常に前向きでいられます。すべての人に役立つ一冊です！

脳から変える No.1社員教育

西田一見 著

定価1650円（本体1500円+税）

社員教育はこれで決まり！ 本書は、やる気が感じられない「イマドキの若手社員」を〝脳の使い方〟から変えて、自ら意欲的に動く人材に育てる手法を具体的に解説。若手の育成に悩んでいる経営者、現場リーダー必読。

一流になる勉強法

西田一見 著

定価1540円（本体1400円+税）

ベストセラー『脳だま勉強法』が装いも新たに登場！ 試験、資格、英語、ビジネス、大学受験など、どんな難関も突破できる上手な脳の使い方を教えます。受験生はもちろん、一流を目指す人すべてに役立ちます。

メンタルトレーナーが教える 最強のダイエット

西田一見 著

定価1540円（本体1400円+税）

10年にわたるロングセラー『痩せるNo.1理論』の新装版！ 脳を上手に使って、自己イメージを変えれば、意志も我慢もいらずに、ラクラク痩せられます。どんなダイエット法にも使える究極で最強の方法です。

看板のない居酒屋

岡村佳明 著

定価1540円（本体1400円+税）

看板もない、宣伝もしない、入口もわからないのに、なぜか超満員の居酒屋。その人気の秘密は、人づくりにあった。著者が実践してきた「商売繁盛・人育ての極意」が一冊の本になりました。［解説：西田文郎］

すごい朝礼

大嶋啓介 著

定価1650円（本体1500円+税）

年間に約1万人が見学に訪れる居酒屋てっぺんの「すごい朝礼」。毎日たったの15分の朝礼で、個人や組織に劇的な変化が起こります！ 会社やチーム、家庭などで、ぜひお役立てください。［解説：西田文郎］

定価には10%の消費税が含まれています。